中华人民共和国法律释义丛书
全国人民代表大会常务委员会法制工作委员会　编

中华人民共和国
禁毒法释义

主　编：安　建（全国人大常委会法制工作委员会副主任）
副主编：郎　胜（全国人大常委会法制工作委员会刑法室主任）
滕　炜（全国人大常委会法制工作委员会刑法室副主任）

法律出版社

图书在版编目(CIP)数据

中华人民共和国禁毒法释义／全国人大常委会法制工作委员会编. --北京：法律出版社，2008.2(2018.11 重印)
(中华人民共和国法律释义丛书)
ISBN 978-7-5036-8193-6

Ⅰ.①中… Ⅱ.①全… Ⅲ.①禁毒－法规－法律解释－中国 Ⅳ.①D922.145

中国版本图书馆 CIP 数据核字(2008)第 014868 号

中华人民共和国禁毒法释义
ZHONGHUA RENMIN GONGHEGUO JINDUFA SHIYI

全国人大常委会法制工作委员会 编

责任编辑 麦 锐
装帧设计 李 瞻

编辑统筹 法规出版分社
出版 法律出版社
开本 850 毫米×1168 毫米 1/32
总发行 中国法律图书有限公司
印张 7
经销 新华书店
字数 128 千
印刷 北京玺诚印务有限公司
版本 2008 年 2 月第 1 版
责任印制 吕亚莉
印次 2018 年 11 月第 2 次印刷

法律出版社／北京市丰台区莲花池西里 7 号(100073)
网址／www.lawpress.com.cn
投稿邮箱／info@lawpress.com.cn
销售热线／010-83938336
举报维权邮箱／jbwq@lawpress.com.cn
咨询电话／010-63939796

中国法律图书有限公司／北京市丰台区莲花池西里 7 号(100073)
全国各地中法图分、子公司销售电话：
统一销售客服／400-660-6393
第一法律书店／010-83938334/8335 西安分公司／029-85330678 重庆分公司／023-67453036
上海分公司／021-62071639/1636 深圳分公司／0755-83072995

书号：ISBN 978-7-5036-8193-6 **定价**：36.00 元

总　　序

人类文明的历史上，还没有哪一个时代像中国的改革开放40年一样，在历史长河中掀起如此巨大的浪花——它不仅深刻改变了一个国家的面貌与精神气质、使数亿人摆脱贫困，还极大地改变了世界格局。

1978，在那一年的年底，中共中央一次全体会议——十一届三中全会扭转了中国的前进方向，开辟了一个时代。回首过去，我们发现，一些观念从那时开始在中国出现，一些声音从那时开始逐渐响起，一些人物开始登上历史舞台。从这一年开始，随着"加强社会主义民主，健全社会主义法制"历史性任务的提出，"法制"两个字进入了人们的视野；政法机关开始恢复重建；法律院系开始蓬勃发展。一部部法律从庙堂走进了人们的生活，一次次裁决推动着国家前进的脚步。从"有法可依、有法必依、执法必严、违法必究"到"科学立法、严格执法、公正司法、全民守法"；从"法制"到"法治"；从法治观念的形成到"依法治国，建设社会主义法治国家"写进宪法，再到"法治国家、法治政府、法治社会一体建设"，人们对法治的认识步步深入，中国的改革不断向前推进，结出丰硕的果实。在中国共产党的带领下，这个励精图治的古老国度，再一次创造了改革的奇迹。

40年发生了无数故事,40年产生了许多事物。为了纪念这难忘的40年,本社组织编辑出版了一批"纪念改革开放40周年"主题图书。这些图书,将40年来颁布的重要法律及其释义甄选汇集,将法学领域有代表性的学术论文萃取精编,把有关政法机关的重建、法律院系的重生与发展进行展现,将一批被时代改变命运的人物再次唤起。我们希望从法律与法律人的视角,重新审视过去的40年,认真体会这不平凡的40年。

如江河东下,逝者如斯。岁月总会过去,人事总有代谢,但一个不平凡的时代留下的深刻痕迹,永远不会磨灭。"不忘初心,牢记使命",习近平总书记在党的十九大报告中向全党发出的号召,使我们有理由期待,下一个40年,中国将更加惊艳!

法律出版社编辑委员会

2018年10月

出版前言

《中华人民共和国法律释义丛书》是由全国人大常委会法制工作委员会组织编辑的一套系列丛书。

该套丛书由一系列法律释义组成。邀请有关专家、学者和部分参与立法的同志编著。该丛书坚持以准确地反映立法宗旨和法律条款内容为最基本要求，在每部法律释义中努力做到观点的权威性和内容解释的准确性。

我们相信，该套丛书的陆续出版，将会给广大读者进一步学好法律提供有益的帮助。

重 印 说 明

本次重印，是为改革开放40周年制作的特别纪念版，为了保持内容原貌，未对正文和附录作实质修改。个别法条内容有修订或修正的，以脚注形式作了标注。特此说明。

2018年10月

目　录

第一部分　释　义

第二部分　附　录

第一部分 释 义

第一章 总 则

第一条 为了预防和惩治毒品违法犯罪行为，保护公民身心健康，维护社会秩序，制定本法。

【释义】 本条是关于禁毒法立法目的的规定。

根据本条规定，禁毒法的立法目的可以从“预防和惩治毒品违法犯罪行为”“保护公民身心健康”“维护社会秩序”三个方面来理解。禁毒法立法目的的这三个方面是相互联系、有机统一的整体。预防和惩治毒品违法犯罪行为是整个禁毒工作的主要内容，而保护公民身心健康、维护社会秩序则是全部禁毒工作的出发点和归宿。通过制定禁毒法为禁毒工作提供重要的法律依据和保障，是禁毒法立法的直接目的；通过卓有成效地依法开展禁毒工作，有效预防和惩治毒品违法犯罪行为，是达到保护公民身心健康、维护社会秩序这两个立法目的的重要前提条件和手段。

（一）制定禁毒法是预防和惩治毒品违法犯罪行为的

需要

1. 我国当前面临的毒品违法犯罪形势严峻。

毒品问题是困扰当今世界几乎所有国家的严重社会问题。对中华民族而言，毒品更是心头难以平复之痛。灾难深重的中国近代史，就是以中国人民反对英帝国主义鸦片贸易而引发的鸦片战争为开端的。新中国成立以后，针对为害中华民族一个多世纪的毒品问题，发动了一场轰轰烈烈的人民禁毒运动。国家先后颁布了《关于严禁鸦片烟毒的通令》《中央关于肃清毒品流行的指示》等一系列文件和规定，自1950年2月到1952年12月，历时两年十个月，取得了令世人瞩目的成就：数以千万计的中国烟民，彻底戒除了毒瘾，成为社会主义制度下的一代新人。在以后相当长的一段时间里，全国范围内基本肃清了鸦片的种植、毒品的制造以及贩毒吸毒现象。但是，自20世纪80年代开始，国际贩毒集团和贩毒分子利用我国改革开放之机以及地理上毗邻"金三角"毒源地的位置，通过中国将境外毒品跨国贩运至国际毒品市场，我国境内毒品违法犯罪活动又死灰复燃且呈国际化趋势。针对这种情况，党和政府高度重视，积极采取措施抵制境外毒品对国内的渗透。1990年，全国人大常委会通过了《关于禁毒的决定》，对严厉打击毒品犯罪活动、抑制毒品上升趋势起到了重要作用。近些年来，以遏制毒品来源、遏制毒品危害、遏制新吸毒人员滋生为目标，以禁毒预防、禁吸戒毒、堵源截流、禁毒严打、禁毒严管五大战役为重点，深入开展禁毒人民战争的禁毒战略，取得了明显的阶段性成效。一些地方毒品问题严重的局面得到了初步扭转，一些突出的毒品问题得到了初步遏制，海洛因等传统毒品发展蔓延的势头得到了初步控制，为禁毒工作的长远发展打下了较好的基础。但是，由于国际、国内、地缘以及历史、政治、经济等诸多复杂原因，我国毒品问题发展蔓延的总体趋势尚未得到根本扭转，毒品违法犯罪活动也越来越隐蔽和猖獗，禁毒工作面临的形势仍然十分严峻："金三角""金星月"等国际毒源地毒品入境情况突出；国内制、贩冰毒、摇头丸等新型毒品的活动呈上升趋势，非法种植毒品原植物尚未禁绝，洗钱、有组织犯罪等关联性犯罪日渐突出；走私、贩卖易制毒化学品问题比较严重；麻醉药品、精神药品流入非法渠道问题突出；特别需要注意的是国内吸毒人员及毒品滥用规模不断扩大，吸毒人群的构成中低收入人群和青少年所占比重大，吸毒人数持续增多。

2. 制定禁毒法、进一步完善我国预防和惩治毒品违法犯罪法律体系，是深入开展禁毒工作的需要。

禁毒工作的主要内容就是预防和惩治毒品违法犯罪行为。对做好禁毒工作而言，预防和惩治这两个方面是相互促进、不可或缺的统一体。毒品危害的特性决定了禁毒工作必须坚持预防为主，通过卓有成效的预防工作，遏制毒品来源、毒品危害和新吸毒人员的滋生，使毒品的蔓延势头得以控制。另一方面，依法严厉惩治制贩毒等严重毒品犯罪活动，是整个禁毒工作的重要依托和保障。同时，依法对吸毒人员予以必要的治疗、教育，做好其戒毒康复工作，也是禁毒工作取得成效的重要基础性工作。长期以来，在党和政府的领导下，我国禁毒工作卓有成效:禁毒宣传教育不断深化,全民拒毒、防毒意识普遍增强;戒毒实效进一步提高;打击毒品犯罪的专项斗争取得巨大成绩;禁毒国际合作得以不断拓展。

与禁毒工作不断深入相适应,禁毒法制工作也取得了长足进展,初步形成了基本适应禁毒工作需要的多层次的法律体系。在惩治毒品违法犯罪方面,现行有效的法律主要是刑法和治安管理处罚法。刑法分则第六章第七节专节对走私、贩卖、运输、制造毒品,非法持有毒品,非法买卖、运输易制毒化学品,非法种植毒品原植物,引诱、教唆、欺骗、强迫、容留他人吸食、注射毒品等涉及毒品的各种犯罪行为规定了严厉的刑事处罚。治安管理处罚法也对非法种植少量毒品原植物,非法持有少量毒品,吸食、注射毒品等毒品违法行为规定了行政处罚。在毒品管制方面,现行有效的主要法律有药品管理法,行政法规有国务院《麻醉药品和精神药品管理条例》《易制毒化学品管理条例》等,规章有公安部《易制毒化学品购销和运输管理办法》、国家食品药品监督管理局《麻醉药品和精神药品实验研究管理规定》等。在戒毒方面,主要法律有全国人大常委会《关于禁毒的决定》中关于强制性戒毒的规定,主要行政法规和部门规章有《强制戒毒办法》《强制戒毒所管理办法》《劳动教养戒毒工作规定》等。此外,很多省和一些较大市的人大常委会、人民政府还根据有关法律、行政法规和部门规章,结合本地方禁毒工作的实际情况,制定了相当数量的关于禁毒的地方性法规、地方性规章。在禁毒国际合作方面,我国签署和加入了一系列关于禁毒的国际公约,如

《联合国禁止非法贩运麻醉药品和精神药物公约》《1961 年麻醉品单一公约》《1971 年精神药物公约》等。

应该说我国禁毒法制工作的成绩是显而易见的，但是随着禁毒工作的不断深入，使得制定一部综合性的统领禁毒工作全局的禁毒基本法律越来越必要和迫切。首先，制定禁毒法是整合现有有关禁毒的法律资源，解决法律法规之间不协调，形成一个效力层级分明、彼此协调统一的禁毒法律体系的需要。禁毒工作牵涉面广，可谓千头万绪。相应的，有关禁毒的法律法规数量大，内容庞杂，主管部门众多，效力层级多，有些法律、法规的规定之间难免存在内容相互交叉、规定不相协调的地方。制定禁毒法有助于禁毒法律制度的体系化、系统化，有助于协调各方，形成合力。其次，长期以来我国禁毒工作积累了大量的、实践证明行之有效的经验和做法，需要以法律的形式巩固下来。如禁毒工作应坚持的方针，禁毒工作领导体制和工作机制，禁毒的宣传教育制度，毒品管制制度，戒毒制度，禁毒的国际合作等有关禁毒工作的基本原则、制度和基本内容，都有必要在禁毒法中作出明确具体规定。最后，制定禁毒法也是禁毒法律体系自身不断完善的需要。一方面，禁毒工作中有些重要的事项需要明确的法律依据；另一方面，随着社会主义法制建设的不断进步，有的在效力层级相对较低的规范性文件中规定的事项，需要上升为法律规定。如关于强制戒毒，1990 年全国人大常委会《关于禁毒的决定》规定，吸食、注射毒品成瘾的，予以强制戒除，进行治疗、教育。强制戒除后又吸食、注射毒品的，可以实行劳动教养，并在劳动教养中强制戒除。但关于强制戒除的主管部门、决定程序、戒除方式、戒毒场所管理等都没有作具体规定。国务院根据全国人大常委会《关于禁毒的决定》的上述原则规定，于1995年制定了《强制戒毒办法》，对强制戒毒工作有关的事项作出了具体规定。2000年，我国制定了立法法，根据立法法的规定，限制人身自由的强制措施和处罚需要由法律规定。强制戒毒虽然是对吸毒成瘾人员的一种教育和治疗措施，但毕竟带有一定程度的强制性，戒毒人员的人身自由实际受到一定限制，应当由法律作出规定。全国人大常委会《关于禁毒的决定》原则规定吸毒成瘾者应当予以强制戒除，但强制戒毒涉及公民人身自由，有关强制戒毒措施的一些基本内容有必要在法律中进一步作出规定。

（二）保护公民身心健康、维护社会秩序是制定禁毒法的重要目的

毒品严重危害公民身心健康。就吸毒者个体来说，毒品直接损害吸食者的身心健康，破坏吸食者正常的生理机能和免疫功能等人体机能：严重损害心、肝、肾等重要器官，严重者可致死；严重损害神经系统，引起脑栓塞、脑脓肿、脊髓炎、周围神经炎等；严重损害人体免疫系统，吸毒者易感染各种传染性疾病；严重损害性功能。作为一个社会问题，吸毒不仅对吸毒者本人造成身心健康的损害，更是祸及家庭、亲友乃至社会。由于吸毒成瘾者对毒品有难以摆脱的依赖性，为了获得毒品，往往不择手段，有的以贩养吸，通过贩毒收入维持自己吸毒；有的以卖淫等手段筹措毒资，从而致使吸毒人群不断扩

大,艾滋病等恶性传染病不断扩散。据不完全统计,近年我国在册吸毒人数逐年上升:1990 年在册吸毒人数为 7 万人,1992 年为 14.8 万人,1994 年为 25 万人,到 2003 年达到 105.3 万人。自 20 世纪 80 年代以来,我国因吸毒导致死亡的已有 49378 人。如果按国际通行的估算标准,一个吸毒者周围有隐性吸毒者 5 至 10 名,那么我国的隐性吸毒人数则是极为惊人的。吸毒导致艾滋病等传染性疾病扩散的问题也是非常严重的,全国登记在册吸毒人员中 80% 患有各种传染病,截至 2007 年 10 月底,在国家累计报告的 223501 例艾滋病病毒感染者中,有 42% 是因静脉注射毒品而感染,居艾滋病传播途径的首位。一项来自中国疾病预防控制中心的专家研究报告提出,根据分析艾滋病毒毒株的结构变异、蔓延方式,证明我国艾滋病毒源来自 1989 年云南某州的 146 名吸毒者。由上可见,预防和惩治毒品违法犯罪行为,保护公民身心健康,不仅仅是吸毒者本人的健康问题,而是一个关系到全社会的公共健康问题。另外,毒品的严重危害不仅在于损害公民身心健康,毒品问题还是诱发其他刑事犯罪和社会治安问题的温床。吸毒人员以贩养吸、以盗养吸、以抢养吸、以骗养吸、以娼养吸现象严重,一些地区抢劫、抢夺和盗窃案件中 60% 甚至 80% 是吸毒人员所为。

可以说,毒品已经成为严重危害人民群众身心健康,影响社会治安稳定和社会主义现代化建设的重要因素。依法开展禁毒工作关系到全面建设小康社会战略目标的实现,关系到构建社会主义和谐社会的进程,关系到国家安危和民族兴衰。

第二条　本法所称毒品,是指鸦片、海洛因、甲基苯丙胺(冰毒)、吗啡、大麻、可卡因,以及国家规定管制的其他能够使人形成瘾癖的麻醉药品和精神药品。

根据医疗、教学、科研的需要,依法可以生产、经营、使用、储存、运输麻醉药品和精神药品。

【释义】　本条是关于毒品定义的规定。共分为两款。

本条第一款规定了毒品的定义。根据本条规定,正确理解毒品的含义和范围,需要从毒品的自然属性和法律属性两个方面把握。

1.毒品的自然属性是指毒品本身所具有的物理、化学性状及其对人体所能产生的作用。毒品的物理、化学属性因毒品种类的不同而各有差异,如海洛因与甲基苯丙胺在物理特性、化学成分等各方面都是不同的。毒品的物理、化学属性是进行毒品鉴定和鉴别的依据,而毒品对人体的作用,是毒品对人体身心健康的损害,也是国家对毒品加以严厉禁止的原因之所在。毒品对人体的作用具体表现为对人体的毒害性和使人体对其产生依赖性。毒品首先是一种对人体有毒害性的物质,毒品在一定条件下可以引起人体各种急、慢性中毒,严重时可以致人死亡。本条关于毒品的定义中,虽然没有直接揭示毒品的毒害性,但法律所明确列举的毒品的种类如鸦片、海洛因、甲基苯丙胺、吗啡、大麻、可卡因等,都是对人体有明显毒害作用且毒害性为人们所熟知的毒品。而本条关于"国家规定管制的其他能够使人形成瘾癖的麻醉药品和精神药品"

的规定，则要求其他类型的毒品在属性上要与明确列举出来的几类毒品危害性相当。因此，毒害性是毒品的自然属性之一。其次，毒品最重要的自然属性，是使人体对毒品产生依赖性，即毒品能够使人形成瘾癖。能不能使人产生依赖性，是区分毒品和一般药品的重要依据。毒品的依赖性源于其独特的物理化学特性，人一旦吸毒成瘾，很难戒除。毒品的依赖性一是表现为生理依赖性，吸毒者一旦成瘾，必须连续使用并有加大剂量的趋势，一旦停止使用毒品，就会出现生理机能异常，一般称为戒断症状。毒品的依赖性更重要的表现为心理依赖性，吸毒成瘾者对毒品有不可抗拒的心理需求和强烈的心理依赖。毒瘾发作会使吸毒者不择手段地寻求毒品以满足生理和心理需要。毒品的依赖性也是毒品会产生严重社会危害的根源所在。

2. 毒品的另一重要特性就是其法律属性。毒品的法律属性可以概括为受管制性和非法使用性，毒品不仅是能够使人形成瘾癖的具有毒害性的物品，它还是国家依法实行管制的物品，仅仅具有毒害性和依赖性，而没有被国家列入管制范围的，在法律上就不属于毒品。例如香烟、酒精等同样具有一定的毒害性和依赖性，但我国并未将其列入管制之列，它们只是一般嗜好品。而大麻在我国依法受到管制，属于毒品，但在一些欧洲国家，大麻并没有被列入管制物品，因而在当地不属于被查禁之列。毒品的非法使用性是指其被用于非法目的，如非法贩卖、非法使用等。因为毒品本身种类很多，其药理作用很复杂，有的有一定的药用价值，有些本身就是药品。事实上人们相对比较熟悉的传统毒品,如海洛因、吗啡,最初就是作为药品制造和使用的,只是后来发现其严重的毒副作用后才不再使用直至严厉禁止。随着近年来世界各国对传统毒品打击力度的不断加大,一些使用所谓“新型毒品”的行为出现抬头和蔓延的趋势。这些“新型毒品”有些本来就是用于临床医疗或者科学研究用途的药品。对这些药品不可能因噎废食,禁止生产和使用。在联合国有关禁毒的公约中,也一再强调麻醉药品、精神药品有利于维护人类健康,在医疗、科研中使用是必要的,但必须予以严格的管理,防止其流入非法渠道。麻醉药品和精神药品如果脱离国家的管制,在非法的领域里进行生产、制造、买卖、使用,就是通常意义上所说的毒品。

本条第二款是关于在医疗、教学、科学研究中依法可以生产、经营、使用、储存、运输麻醉药品和精神药品的规定。

如上所述,国家实行管制的麻醉药品、精神药品如果流入非法渠道,就属于本法所说的毒品。但是,麻醉药品、精神药品毕竟也属于特殊的药品,在临床医疗、科学研究等领域有其重要的使用价值,国家对其实施严格管制的目的,是要做到既不妨碍医疗、教学、科研活动的正常进行,又能防止其流入非法渠道和用途。因此,本条第一款规定,国家规定管制的麻醉药品、精神药品属于毒品,而第二款又考虑到医疗和科学研究中使用麻醉药品和精神药品的实际需要,规定“根据医疗、教学、科研的需要,依法可以生产、经营、使用、储存、运输麻醉药品和精神药品”。这样,一方面肯定了麻醉药品和精神药品可以作医疗、教学、科学研究之用;另一方面,明确了医疗、教学、科学研究使用麻醉药品和精神药品，应当严格按照国家有关麻醉药品和精神药品管制的法律、法规规定的程序、条件进行。我国有关毒品管制的法律规定，主要是药品管理法和国务院制定的《麻醉药品和精神药品管理条例》。药品管理法第三十五条规定："国家对麻醉药品、精神药品、医疗用毒性药品、放射性药品，实行特殊管理。管理办法由国务院制定。"国务院根据药品管理法的上述规定，制定了《麻醉药品和精神药品管理条例》，对麻醉药品和精神药品从原植物的种植、实验研究和生产、经营、使用、储存、运输等各个环节及审批程序和监督管理等方面作了严格规定。实践中有关单位和个人在依法从事麻醉药品和精神药品的生产、经营、使用、储存、运输有关的活动时，必须严格按照国家法律、法规规定的程序和条件进行，防止麻醉药品和精神药品流入非法渠道和非法用途。

以上是对本条关于毒品定义的理解，有关毒品的具体范围，需要结合国家关于毒品管制的具体规定确定，实际上世界各国通常都是采用不定期公布被管制药物清单的方法来确认麻醉药品和精神药物的范围的。根据《麻醉药品和精神药品管理条例》的规定，我国对麻醉药品和精神药品实行目录管理，麻醉药品和精神药品的目录，由国务院药品监督管理部门会同国务院公安部门、国务院卫生主管部门制定、调整并公布。因此，毒品的实际范围是开放性和动态的，随着新药的不断开发，对在医疗使用中发现某些药物具有依赖性，可能造成滥用的危害的，将随时被列为新的受管制药物。《麻醉药品和精神药品管理条例》明确规定，对于上市销售但尚未列入目录的药品和其他物质或者第二类精神药品发生滥用，已经造成或者可能造成严重社会危害的，国务院药品监督管理部门会同国务院公安部门、国务院卫生主管部门应当及时将该药品和该物质列入目录或者将该第二类精神药品调整为第一类精神药品。按照我国有关主管部门 2007 年公布施行的麻醉药品品种目录和精神药品品种目录，国家实行管制的麻醉药品共 123 种，一类和二类精神药品共 132 种。

第三条　禁毒是全社会的共同责任。国家机关、社会团体、企业事业单位以及其他组织和公民，应当依照本法和有关法律的规定，履行禁毒职责或者义务。

【释义】　本条是关于禁毒社会责任的规定。

毒品的危害在于不仅损害吸毒者本人的身心健康，累及吸毒者家庭、亲友，而且造成传染病流行，危及公共健康，引发刑事犯罪和违法行为，影响社会治安秩序。毒品及其所引发的问题困扰着几乎当今世界各个国家，毒品问题已经成为严重的社会问题。一个毒品泛滥的社会，任何成员都可能遭受其不利影响。因此禁毒工作关系到全社会的共同利益，全体社会成员都应当自觉承担起禁毒的责任。

强调禁毒是全社会的责任，是对近年来我国禁毒工作有益经验的总结。做好禁毒工作首先要求有关国家机关切实履行好各自的禁毒职责。毒品问题是一个复杂的社会问题，需要采用综合治理的手段。解决毒品问题，做好禁毒工作，涉及社会管理的各个方面，涉及各个职能部门，除了负有禁毒专门职责的各个国家机关要切实履行自己的职责，充分发挥禁毒专项职能作用外，其他各个有关国家机关，要克服那种认为禁毒主要是公安司法机关的职责，自己只是做好配合工作的错误认识，要深刻认识到禁毒工作对于实现全面建设小康社会战略目标，构建社会主义和谐社会的重要意义，正确处理好自己的日常工作与所分担的禁毒工作的关系，切实履行好各自与禁毒有关的职责。

做好禁毒工作还需要各社会组织、全体公民自觉履行各自的禁毒义务。走群众路线是我们各项事业取得成功的重要法宝，禁毒工作要真正落到实处，取得实效，不能仅靠国家职能部门单打独斗，更要有赖于其他所有的企事业单位等社会组织和全体公民积极履行自己的义务。只有全体社会组织、公民积极参与禁毒工作，依法履行各自的禁毒义务，国家职能部门的禁毒专门工作的基础才能够牢靠。禁毒法根据我国开展禁毒斗争的经验，强化了企事业单位等社会组织和公民个人在禁毒方面的义务，如在禁毒宣传教育方面，禁毒法规定：工会、共产主义青年团、妇女联合会应当结合各自工作对象的特点，组织开展禁毒宣传教育；学校应当将禁毒知识纳入教育、教学内容，对学生进行禁毒宣传教育；新闻、出版、文化、广播、电影、电视等有关单位，应当有针对性地面向社会进行禁毒宣传教育；飞机场、火车站、长途汽车站、码头以及旅店、娱乐场所等公共场所的经营者、管理者，负责本场所的禁毒宣传教育；各个单位、社会组织应当加强对本单位人员的禁毒宣传教育;居民委员会、村民委员会应当协助人民政府以及公安部门,加强禁毒宣传教育;未成年人的父母或者其他监护人应当对未成年人进行毒品危害的教育,防止其吸食、注射毒品或者进行其他毒品违法犯罪活动,等等。在毒品管制方面,根据禁毒法的规定,有关麻醉药品药用原植物种植单位,麻醉药品和精神药品生产、经营、使用、储存、运输单位都有依法进行相关生产经营活动,防止麻醉药品和精神药品流入非法渠道的义务。在戒毒工作方面,禁毒法规定了社区戒毒和社区康复制度。上述各有关单位、公民都应当积极发挥作用,自觉履行法律规定的义务,做好禁毒工作。

第四条　禁毒工作实行预防为主,综合治理,禁种、禁制、禁贩、禁吸并举的方针。

禁毒工作实行政府统一领导,有关部门各负其责,社会广泛参与的工作机制。

【释义】 本条是关于禁毒工作方针和工作机制的规定。共分为两款。

本条第一款是关于禁毒工作方针的规定。

根据本款的规定,禁毒工作必须坚持预防为主,综合治理,禁种、禁制、禁贩、禁吸并举的方针。禁毒法的这一规定,既是对我国禁毒工作实践经验的总结,也是借鉴国际上的有益做法。禁毒工作之所以要坚持预防为主,综合治理,是因为毒品危害特性之一就是能够使人形成瘾癖,使人产生生理和心理的强烈依赖。毒品易沾难戒,一旦沾染上毒瘾,目前还没有有效的方法完全戒除。长期以来,我国政府一直将戒毒工作作为禁毒工作的一项重要内容,投入了大量的人力、物力,但事实证明收效甚微,吸毒人员戒毒治疗以后重新复吸率居高不下。针对这种情况,除了继续加大对戒毒工作的投入,积极探索新的戒毒方式方法,努力巩固戒毒成果,继续严厉打击毒品制造、贩卖等犯罪活动外,必须转变观念,将预防工作放在禁毒工作重中之重的位置,其中,继续遏制毒品的种植和走私入境,抓好堵源截流工作,并采取有效措施减少吸毒人员,防止新增吸毒人员,萎缩毒品市场,都是十分重要的环节。坚持预防为主,是禁毒工作的治本之策。做好毒品预防工作,就能够变被动为主动,大大减轻其他环节的压力。

坚持预防为主,首先需要切实重视禁毒宣传教育工作,要扎扎实实开展工作,做到形式多样、内容丰富、通俗易懂、注重实效。很多沾染毒品的吸毒者是出于对毒品危害的无知,因此,必须通过加强禁毒宣传教育工作的力度,提高人民群众识毒、拒毒、防毒的能力,充分调动人民群众参与禁毒斗争的热情。在全社会倡导积极、健康的生活态度和生活方式,形成全民抵制毒品、参与禁毒的社会氛围,最大限度地减少毒品需求和危害,不断减少新吸毒人员滋生。只有这样,才能取得禁毒人民战争的胜利。近年来,有关部门、一些地方积极开展了形式多样的禁毒宣传教育活动。如编写《全民禁毒教育读本》,聘请社会公众人物担任禁毒宣传形象大使和义务宣传员,举办禁毒、防治艾滋病宣讲团及骨干培训班,利用暑假组织大学生走村入户开展面对面的禁毒宣传工作,开展"社区青少年远离毒品行动”,在互联网上进行禁毒知识竞赛,深化面向吸毒高危人群的禁毒宣传教育活动,等等。事实证明,禁毒宣传教育不是可有可无的,通过这些卓有成效的宣传教育活动,人民群众参与禁毒斗争的热情高涨,初步形成了全民禁毒的浓厚氛围。如禁毒志愿者队伍不断壮大,服务领域不断拓宽,目前仅云南、山西等13个省市就成立了禁毒志愿者队伍558支,25万余人。海南省妇联通过开展“千村创建妇女禁毒会”活动,在全省1050个村(居)委会成立了妇女禁毒会,培训妇女禁毒宣传教育和帮教骨干21万人。另外,群众举报毒品违法犯罪活动热情高涨,云南等8省市向社会公布禁毒举报奖励办法以来,通过群众举报破案比例不断上升,2007年1—10月,云南通过群众举报破获毒品案件1707起,抓获犯罪嫌疑人1957名,缴获毒品1.8吨,缴毒数量约占全省缴毒总量的18%。福建省查处歌舞娱乐场所吸、贩毒案件150余起,其中70%是根据场所或群众举报而查获的。坚持预防为主,必须切实加强毒品管制工作,严格按照药品管理法、《麻醉药品和精神药品管理条例》、《易制毒化学品管理条例》等法律法规的规定,建章立制,进一步规范和加强对麻醉药品药用原植物种植,麻醉药品和精神药品以及易制毒化学品的生产、经营、运输、储存、使用环节的管理,从源头上防止上述物品流入非法渠道,危害社会。坚持预防为主,必须进一步加强吸毒人员戒毒康复工作,鼓励吸毒人员自觉参加社区戒毒,对符合条件的吸毒成瘾人员及时予以强制隔离戒毒,落实被解除强制隔离戒毒人员的社区康复措施;加大对强制戒毒场所的投入,加强戒毒场所医疗技术人员的力量配备，积极开展戒毒科学研究，推广先进的戒毒方法。做好吸毒人员戒毒康复工作，有助于最大限度压缩和不断萎缩毒品消费市场，降低毒品造成的社会危害。

禁毒工作还必须坚持综合治理，坚持“禁种、禁制、禁贩、禁吸”四禁并举。毒品问题的发生、发展有一个非常复杂的成因，各种因素错综交织，做好禁毒工作，需要深入分析毒品问题发生的经济、社会根源，毒品情况发展变化的内在规律，准确把握全局，统筹兼顾，堵源截流，标本兼治，综合治理。综合治理，首先要加强对毒品违法犯罪活动的打击力度，要严格按照刑法等有关法律，对走私、贩卖、运输、制造毒品等犯罪活动予以惩处，决不手软。其次，禁毒工作各有关职能部门要加强沟通协调，完善缉毒执法协作机制，在禁毒委统一领导下，协调高效地开展禁毒工作。同时，在禁毒工作中要自始至终贯彻群众路线的方针，充分依靠和发挥基层组织的作用，调动各方面积极因素。禁种、禁制、禁贩，是从源头上加强对毒品的管制，从而有效遏制毒品的泛滥；而禁吸则是致力于减轻毒品危害，减少新增吸毒人口，压缩毒品消费市场。两个方面相互促进、缺一不可，只有坚持四禁并举，禁毒工作才能取得实效。

本条第二款是关于禁毒工作机制的规定。

根据本款规定，禁毒工作实行政府统一领导，有关部门各负其责，社会广泛参与的工作机制。禁毒法提出的这一工作机制，是长期以来我国禁毒工作实践经验的总结。新中国成立以后之所以能够在很短的时间内基本禁绝毒品危害，就是因为有强有力的政府统一领导。政府统一领导，也充分表明了禁毒工作首先是政府的责任。我国当前面临的毒品形势严峻，毒情非常复杂，禁毒是一项长期、复杂、艰巨的系统工作，牵涉到社会生活的各个方面，必须要有强有力的政府统一领导。同时，禁毒工作涉及诸多管理部门，各部门必须本着对国家负责、对人民负责、对历史负责的责任感，认真负责地依法履行各自承担的职责，不扯皮，不推诿，相互配合、相互协作，形成有效的管理合力，共同把涉及禁毒的各项工作做好。毒品问题是一个社会问题，解决社会问题，必须要设法动员各种有用的社会资源，鼓励各种社会力量积极参与禁毒工作，只有全社会都行动起来，禁毒工作才有扎实的群众基础，才能形成政府领导有力，各有关部门各负其责，社会各方积极参与的有效的禁毒工作机制。

第五条　国务院设立国家禁毒委员会，负责组织、协调、指导全国的禁毒工作。

县级以上地方各级人民政府根据禁毒工作的需要，可以设立禁毒委员会，负责组织、协调、指导本行政区域内的禁毒工作。

【释义】　本条是关于禁毒委员会的设立及其职责的规定。共分为两款。

本条第一款规定了国家禁毒委员会的设立及其职责。

禁毒法中明确规定国务院设立国家禁毒委员会，并明确禁毒委员会的职责为组织、协调、指导全国的禁毒工作。禁毒法的这一规定，实际上是对我国长期以来禁毒工作领导体制的总结。我国的禁毒实践和国际禁毒斗争的经验表明，禁毒工作必须坚持强有力的统一领导。同时，禁毒工作涉及政府管理的许多方面，从易制毒化学品的管理，到麻醉药品药用原植物的种植，麻醉药品、精神药品的科学研究、生产、运输、储存、使用等方面的管制，对走私、贩卖、运输、制造毒品行为的预防、查处和打击，再到禁毒宣传教育、吸毒成瘾人员戒毒康复工作，等等。只有所有这些相关部门切实履行自己的职责，相互配合、相互协作，形成管理合力，才能够将各项禁毒法律法规和禁毒工作落到实处。禁毒工作的复杂性决定了不可能采取那种设立一个专门机构专司禁毒的工作体制，必须建立一种能够有效整合各部门管理资源，形成管理合力，又能够及时协调部门间合作，能够统筹全局、指导各个相关部门的禁毒工作领导体制。1950 年，政务院《关于严禁鸦片烟毒的通令》即规定："各级人民政府为使禁烟禁毒工作进行顺利，得设禁烟禁毒委员会。该会由政府民政、公安部门及各人民团体派员组织，民政部门负组织之责。"此后，国家还先后设立过国家禁毒工作领导小组、国家禁毒委员会等。关于国家禁毒委员会的职责和组成，也先后有多次调整。通过长期的探索，我国有效的禁毒工作领导体制已经初步形成了。禁毒法以法律的形式将这种实践证明有效的禁毒工作领导体制确定下来，有利于禁毒委员会依法开展禁毒工作。根据本款的规定，国家禁毒委员会的职责是负责组织、协调、指导全国的禁毒工作。首先，国家禁毒委员会的工作范围是全国的禁毒工作而不是仅限于在中央层面开展工作。其次,国家禁毒委员会的工作职责和方式是组织、协调和指导。所谓组织,是指国家禁毒委员会根据禁毒工作的需要,负责筹划、领导和部署相关的禁毒专项工作、行动等事项。协调是指国家禁毒委员会依法对涉及多个部门的与禁毒有关的事项,进行统筹、协商和安排,理顺机制,解决矛盾,保证国家机关之间各负其责,相互协作。指导是指国家禁毒委员会根据禁毒工作的需要或者各相关部门的要求,对禁毒工作相关事项提出指导性意见,以促进有关部门依法履行禁毒职责。根据国务院有关现行的国家禁毒委员会组成的规定,国家禁毒委员会涉及公安、司法、卫生、宣传、教育、海关等30多个与禁毒工作有关的部门。禁毒法规定在国务院设立国家禁毒委员会,负责组织、协调、指导全国的禁毒工作,就是为了确立一个既能够从总体上把握国家禁毒工作全局,又能够通过卓有成效的组织、协调和指导工作,充分发挥各相关职能部门作用的,国家强有力的禁毒工作领导体制。

本条第二款是关于地方设立禁毒委员会及地方设立的禁毒委员会的职责的规定。

根据本款规定,县级以上地方各级人民政府根据禁毒工作的需要,可以设立禁毒委员会,负责组织、协调、指导本行政区域内的禁毒工作。需要特别说明的是,法律规定县级以上地方人民政府根据禁毒工作的需要,可以设立禁毒委员会,而不是必须层层设立。根据禁毒工作需要,一是根据本地方毒品形势和禁毒工作任务,如果毒情复杂、严重,禁毒工作任务较重，确有需要设立专门的禁毒委员会的，可以设立。二是根据本地方在开展禁毒工作中，各与禁毒相关的部门开展工作的实际需要，如果认为需要加强组织、协调和指导工作，理顺工作机制的，也可以考虑设立专门的禁毒委员会。总之，决定机构设置的出发点是实际工作需要，要符合机构精简、效能的总体原则，而不是因人设事。没有设立禁毒委员会并不表示当地政府不重视禁毒工作，更不意味着当地的禁毒工作就没有机构负责组织、协调和指导。禁毒工作是各级人民政府重要的职责，没有设立禁毒委员会的地方，相关的组织、协调、指导工作应当由当地的人民政府承担。

第六条 县级以上各级人民政府应当将禁毒工作纳入国民经济和社会发展规划，并将禁毒经费列入本级财政预算。

【释义】 本条是关于禁毒工作纳入国民经济和社会发展规划，禁毒经费列入财政预算的规定。

国民经济和社会发展规划是国家根据经济社会发展的要求，对未来计划期内国民经济和社会发展各主要方面所作的统筹部署和安排，是指导国民经济和社会发展的纲领性文件，是国家加强和改善宏观调控的重要手段，也是政府履行经济调节、市场监管、社会管理和公共服务职责的重要依据。科学编制并组织实施国民经济和社会发展规划，有利于政府合理有效地配置公共资源，促进国民经济又好又快地发展和社会全面进步。毒品问题是严重的社会问题，不仅严重危害公民身心健康，消耗社会财富，还引发大量社会问题，严重影响经济、社会的健康发展和稳定。毒品问题解决不好,将直接影响我们构建社会主义和谐社会、全面建设小康社会战略目标的实现。因此,必须高度重视禁毒工作,把禁毒工作作为经济和社会健康发展的大事来抓。为此,县级以上地方各级人民政府,都有必要将禁毒工作作为政府公共管理和社会服务的重要内容,纳入国民经济和社会发展总体规划,作为政府制定有关政策和年度计划的依据。有关部门还要根据总体规划的要求,制定有关禁毒工作的专项计划,作为政府制定相关政策、安排和部署相关工作的依据。同时,各级政府还要在相关规划中合理安排用于禁毒工作的财政预算,保证依照相关规划开展的禁毒工作有充足的经费保障。

第七条　国家鼓励对禁毒工作的社会捐赠,并依法给予税收优惠。

【释义】 本条是关于禁毒工作的社会捐赠和税收优惠的规定。

禁毒工作是一项长期、艰巨、复杂的系统工程,需要动员全社会一切可以动员的资源,进行一场持久的禁毒人民战争。禁毒法也明确规定,禁毒工作实行政府统一领导,有关部门各负其责,社会广泛参与的工作机制。因此,充分调动社会各方面参与禁毒工作的积极性,使社会组织和公民个人积极参与到禁毒工作中来,形成全社会动员起来的良好禁毒氛围,是做好禁毒工作的重要保障。社会广泛参与禁毒工作的一个重要方面,就是鼓励一切社会组织和公民个人在力所能及的范围内，积极捐赠禁毒公益活动。应该说，国家每年投入的禁毒经费是巨大的，国家投入的大量禁毒经费有力地保障了各项禁毒工作顺利开展。但是，禁毒工作牵涉面极广，涉及查毒、缉毒、戒毒、宣传教育以及国际合作等方方面面的工作，客观上需要投入大量的人力、物力、财力，“众人拾柴火焰高”，在坚持以国家投入为主体，切实保障各方面禁毒经费的同时，鼓励和支持社会组织和公民个人积极捐赠禁毒公益事业，也是相关禁毒公益事业经费来源必要和有益的补充。国家鼓励社会组织和公民个人捐赠禁毒公益事业，除了能够为相关禁毒公益事业增加经费，还能够通过这种形式使得社会公众积极参与到禁毒事业中来，形成良好的全民禁毒的社会氛围。需要强调的是，根据国家公益事业捐赠法的规定，捐赠是社会组织或者公民个人自愿和无偿的行为，任何单位和个人都不得强行摊派或者变相摊派，更不能借禁毒捐赠之名敛财。禁毒社会捐赠应当由依法成立的与禁毒有关的公益性社会团体和公益性非营利的事业单位接受。与禁毒有关的公益性社会团体是指依法成立的，以发展禁毒公益事业为宗旨的基金会、慈善组织等社会团体。与禁毒有关的公益性非营利的事业单位是指依法成立的，从事禁毒公益事业的不以营利为目的的教育机构、科学研究机构、医疗卫生机构、社会福利机构等。境外捐赠禁毒公益事业的捐赠人要求县级以上人民政府及其部门作为接受人的，县级以上人民政府及其部门也可以接受捐赠，并依法管理捐赠财产。捐赠财产的使用应当尊重捐赠人的意愿，符合禁毒公益目的，不得将捐赠财产挪作他用。县级以上人民政府及其部门作为捐赠财产接受人的，可以将受赠财产转交公益性社会团体或者公益性非营利的事业单位；也可以按照捐赠人的意愿分发或者兴办公益事业，但是不得以本机关为受益对象。

社会组织和公民积极捐赠禁毒公益事业应当予以鼓励，包括给予税收优惠。对此，公益事业捐赠法和有关税收的法律中都有明确规定。如公益事业捐赠法规定，公司和其他企业依照本法的规定捐赠财产用于公益事业，依照法律、行政法规的规定享受企业所得税方面的优惠；自然人和个体工商户依照本法的规定捐赠财产用于公益事业，依照法律、行政法规的规定享受个人所得税方面的优惠；境外向公益性社会团体和公益性非营利的事业单位捐赠的用于公益事业的物资，依照法律、行政法规的规定减征或者免征进口关税和进口环节的增值税；对于捐赠的工程项目，当地人民政府应当给予支持和优惠。企业所得税法规定，企业发生的公益性捐赠支出，在年度利润总额12%以内的部分，准予在计算应纳税所得额时扣除。个人所得税法规定，个人将其所得对教育事业和其他公益事业捐赠的部分，按照国务院有关规定从应纳税所得中扣除。海关法规定，用于公益事业的捐赠物资，可以减征或者免征关税。

第八条　国家鼓励开展禁毒科学技术研究，推广先进的缉毒技术、装备和戒毒方法。

【释义】　本条是关于国家鼓励禁毒工作开展科学技术

研究的规定。

毒品对人类健康的危害以及给社会、家庭带来的危害后果是非常严重的。为了抵制毒品的危害，各国政府都非常重视研究新的科学技术来同毒品违法犯罪活动作斗争。随着毒品违法犯罪活动愈来愈成为困扰建设安定和谐社会和家庭的严重问题，我们在强调动员全社会抵制毒品，教育公民要珍爱生命，远离毒品和加强司法机关对毒品违法犯罪活动的打击力度的同时，更应该加强对禁毒工作开展科学研究，运用先进的科学技术和科学的方法开展禁毒工作，使我们的禁毒工作水平不断提高。

本条规定的“国家鼓励开展禁毒科学技术研究”，是指国家鼓励和提倡社会各方面，包括单位和个人开展禁毒工作科学技术研究，探索行之有效的科学禁毒方法。禁毒工作主要包括三个方面：第一，及时发现毒品的生产地点，包括毒品的种植地，毒品的加工、制造窝点，并能迅速将其铲除和捣毁。这是消除毒品源头的关键。如果能利用先进的卫星探测方法或者其他科学方法，寻找毒品种植或生产窝点，就可以大大强化对毒品违法犯罪活动的打击。第二，及时缉查走私贩卖毒品违法犯罪活动。目前掌握的资料表明，在我国走私毒品和贩卖毒品的违法犯罪活动要比种植毒品原植物和毒品加工犯罪活动更为严重，如何利用先进的科学技术缉查和严厉打击走私毒品、贩卖毒品犯罪活动，是目前开展禁毒工作的重中之重。加强这方面的科学技术研究刻不容缓。第三，对吸食毒品人员采取先进的科学技术方法进行戒毒。目前对吸毒成瘾人员采用的戒毒方法戒毒周期较长，效果也不够理想。如果能研制出更加科学的戒毒方法和戒毒药物，对减少吸毒人员数量，缩减毒品的消费市场，从而进一步遏制毒品违法犯罪活动，会起到至关重要的作用。由此可见，只有全面开展禁毒科学技术研究，才能使我国的禁毒工作取得更大的成绩。

“推广先进的缉毒技术、装备和戒毒方法”，是指将先进的缉毒技术、装备和戒毒方法，及时地在禁毒工作中加以推广运用，以促进禁毒工作的有效开展和尽可能快地收到效果。在各种涉及毒品违法犯罪的活动中，查缉毒品是发现毒品违法犯罪活动并进一步将毒品违法犯罪嫌疑人绳之以法以及达到打击毒品违法犯罪活动目的的关键所在。利用传统的缉毒方法，已经不能适应复杂的毒品查缉工作的需要。随着形势的发展，毒品违法犯罪分子所采取的各种运输、携带、藏匿毒品的方法不断翻新。毒贩为了将毒品偷运出、入境，总是挖空心思，采取千奇百怪的运毒方式，给查缉毒品工作带来种种困难和新的挑战。我们的缉毒侦查手段也必须适应形势的发展和需要，使用高科技缉毒技术、装备，才能有效地提高缉毒的战斗力和威慑力。如今，无论在国际还是在国内，一些高新技术已成了反毒机构的缉毒利器。如在我国云南边境安装了X光流动检测机；在厦门警方装备了目前世界上最先进的便携式毒品探测仪，俗称“电子狗”，等等。这些先进的科学技术在缉毒工作方面的运用，无疑对查缉毒品违法犯罪活动，起到了很大的作用。但缉毒与反缉毒的形势是在不断发展和变化的，只有坚持不懈地研制和推广先进、科学的缉毒技术和装备，才能适应这种变化。

“先进的戒毒方法”是指利用先进、科学的方法对吸毒成瘾人员进行戒毒。传统的戒毒方法主要有三种：一是自然戒断法，即采取强制方法使吸毒人员与毒品隔绝，强迫其通过外界的控制和自身的克制来强行戒除毒瘾，也叫干戒法。这是一种古老的戒断方法。戒毒者要有坚强的毅力忍受戒断症状的折磨。其特点是不用药，缺点是较痛苦。实践结果证明，这种方法对于吸毒时间不长、用量不大、毒瘾不严重者和有坚强毅力自愿戒毒者是可以的，而对严重毒瘾者并不适用。二是药物辅助戒毒，即在医生的指导下对吸毒人员适量地施用有效的戒断药物，以替代、递减的方法，减缓、减轻吸毒者戒断症状的痛苦，逐渐达到脱毒的戒毒方法。在药物戒断法中，阿片类替代疗法是临床治疗中最传统的又是最常用的和最有效的方法，目前常用的替代药物有美沙酮、丁丙诺啡等。三是亚冬眠戒断法，即采用大剂量的盐酸氯丙嗪为主的药品进行脱毒治疗，这种疗法特点是使吸毒者可以几天内一直昏睡，处于亚冬眠状态，使戒断症状在睡眠中度过，痛苦小，费用低，但是该疗法在治疗中易有意识障碍，大小便失禁，呼吸抑制，肺部感染等不良反应，因此采用亚冬眠法治疗临床脱毒应慎重。除了上述几种戒毒方法外，目前专家也在研究、探索一些新的戒毒方法，以寻求更有效的方法将吸毒人员从毒瘾中解救出来。我国也正在加紧这方面的科学技术研究，期待能有更加科学有效的戒毒方法早日出现。

第九条　国家鼓励公民举报毒品违法犯罪行为。各级人民政府和有关部门应当对举报人予以保护，对举报有功人员以及在禁毒工作中有突出贡献的单位和个人，给予表彰和奖励。

【释义】 本条是关于国家鼓励公民举报毒品违法犯罪行为的规定。

打击毒品违法犯罪活动，不仅要靠专门机关，更要依靠广大的人民群众。实践证明，把禁毒工作引向以广大人民群众为主体的人民战争，是夺取禁毒斗争胜利的重要法宝。本条的规定就是要调动广大人民群众积极参加到同毒品违法犯罪活动的斗争中来。“国家鼓励公民举报毒品违法犯罪行为”，是指国家将采取各种方式，鼓励和推动公民积极举报毒品违法犯罪行为，鼓励公民敢于同毒品违法犯罪活动作斗争。当然，与毒品犯罪分子面对面地较量主要是专职机关的职责，但公民敢于积极举报毒品违法犯罪活动，将使司法机关能更及时更有效地打击毒品违法犯罪活动。一方面，毒品违法犯罪活动对整个社会以及家庭和个人都危害极大，为了净化社会风气和减少毒品违法犯罪活动给社会、家庭和个人带来的危害，我们每个公民也有义务和责任积极投身到同毒品违法犯罪活动的斗争中来。另一方面，仅靠专门机关打击毒品违法犯罪活动，无论是从人员编制上，还是从现有装备来看都是有限的，只有发动广大人民群众积极参与同毒品违法犯罪活动的斗争，才能使毒品违法犯罪活动处于孤立无援的境地。广大人民群众积极参与同毒品违法犯罪活动作斗争，对打击毒品违法犯罪活动有着极其重要的作用和意义。“各级人民政府和有关部门应当对举报人予以保护”,是指各级人民政府对勇于举报毒品违法犯罪活动的人员,应当积极采取各种措施,对举报人员的人身以及家庭等各方面进行安全保护。由于公民对毒品违法犯罪活动的举报,将会导致毒品违法犯罪分子受到司法机关的追究,并要受到相应的法律制裁,因此,犯罪分子极有可能向勇于举报毒品违法犯罪活动的公民实施各种报复,公民的人身安全和家庭成员的安全将受到极大威胁。为了保护举报人的积极性和人身安全,鼓励公民同毒品违法犯罪活动作斗争,同时也是为了打击毒品违法犯罪分子的嚣张气焰和防止违法犯罪分子的报复行为得逞,各级人民政府有关部门应当通力协作,做好对举报人的保护工作。保护工作的具体方法是多方面的,如对举报人的个人、家庭及有关亲属的情况及举报信息的来源等,采取有效的保密措施,防止泄露;在需要作证时根据案件情况可以对举报人采取一些保密性的技术处理;当违法犯罪分子对举报人实施报复行为时应当及时予以制止,并追究相应的法律责任,等等。

“对举报有功人员以及在禁毒工作中有突出贡献的单位和个人,给予表彰和奖励”,是指各级人民政府对举报有功人员以及在禁毒工作中有突出贡献的单位和个人给予各种形式的表彰和奖励。其中“举报有功人员”主要是指通过其对毒品违法犯罪活动的举报,对发现及抓获违法犯罪嫌疑人、侦破毒品犯罪案件给予了重要帮助的人员。“在禁毒工作中有突出贡献的单位和个人”,既包括负有禁毒工作职责的单位和个人，如战斗在一线的公安、边防、海关工作人员等，他们往往直接面对面地同毒品违法犯罪分子较量，担负着严厉打击毒品违法犯罪活动的光荣使命；也包括其他积极协助司法机关破获毒品违法犯罪案件或者在抓获毒品违法犯罪分子过程中表现突出的单位和个人。“给予表彰和奖励”，是指各级人民政府对在禁毒工作中的有功人员、有突出贡献的单位和个人，给予各种形式的表彰和奖励。“表彰”可以通过新闻媒体进行表彰宣传，或召开通报表彰大会、颁发荣誉证书等对有功人员进行表彰。“奖励”则主要包括给予适当的物质奖励。建立对禁毒有功人员和单位的表彰奖励制度，是为了达到鼓励公民和单位积极同毒品违法犯罪活动作斗争的目的，特别是对在禁毒工作中付出鲜血和生命代价的有功人员，更应当大力表彰和宣传，借以在社会上树立起勇于同毒品违法犯罪活动作斗争的良好风气。

第十条　国家鼓励志愿人员参与禁毒宣传教育和戒毒社会服务工作。地方各级人民政府应当对志愿人员进行指导、培训，并提供必要的工作条件。

【释义】　本条是关于国家鼓励志愿人员参与禁毒宣传教育和戒毒社会服务工作的规定。

本条规定的“国家鼓励志愿人员参与禁毒宣传教育和戒毒社会服务工作”，是指国家提倡和鼓励自愿参与禁毒工作的积极分子组成志愿者队伍，深入到社会的各个方面进行禁毒宣传教育和戒毒社会服务工作。其中“志愿人员”包括来自社会各个方面的志愿参加相关戒毒工作的人员，包括工人、农民、干部、学生、待业人员、离退休人员等。志愿人员所进行的禁毒宣传教育和戒毒社会服务工作是志愿为社会作贡献的行为，政府或有关方面可以视情况给予适当的补贴。在志愿人员中，有些可能是曾经受过毒品危害的人员，他们可以通过亲身经历，现身说法，讲述毒品给家庭和个人带来的危害，达到更好的效果。“参与戒毒社会工作”主要是指志愿人员协助有关机构和社会基层组织，对本社区内的吸毒人员进行帮助戒毒的社会工作。根据本法规定，一些戒毒人员在社区中进行戒毒，或在专门的戒毒机构进行了一段时间的戒毒后，要回归社会进行正常的生活和工作。对这些人员如果不加以约束教育，很可能又会复吸，重蹈覆辙。志愿人员参与戒毒社会服务工作，其中的一项主要内容就是努力帮助这些人员，在基层组织指导下，在戒毒人员家属的配合和支持下，督促、约束他们远离昔日的毒友，切断他们的毒品来源，并经常组织他们开展一些有益于身心健康的活动，对他们不断地进行有关禁毒的宣传教育。“地方各级人民政府应当对志愿人员进行指导、培训，并提供必要的工作条件”，是指地方各级人民政府应当做好对志愿人员的指导、培训工作。因为要想做好禁毒宣传教育和戒毒社会服务工作，志愿人员仅凭满腔热情还远远不够，必须要具备和掌握有关禁毒、戒毒的相关知识，这样才能胜任禁毒宣传教育工作和戒毒社会服务工作。在这方面，地方各级人民政府应当给予他们必要的指导、培训，请有关专业人士给他们讲解毒品危害的基本知识和做好戒毒社会服务工作应当具备的常识和本领。“提供必要的工作条件”是指地方各级人民政府不仅要对志愿人员做好指导、培训工作，根据需要还应当给他们提供必要的工作条件，如给他们提供有利开展工作的条件和场地，提供一定的物质条件，尽量帮助他们协调和解决在进行禁毒宣传教育活动和进行戒毒社会服务工作中遇到的各种问题和困难等。只有这样，志愿人员才能在有政策指导和物质保障的条件下开展好禁毒宣传教育活动和戒毒社会服务工作。

第二章　禁毒宣传教育

第十一条　国家采取各种形式开展全民禁毒宣传教育，普及毒品预防知识，增强公民的禁毒意识，提高公民自觉抵制毒品的能力。

国家鼓励公民、组织开展公益性的禁毒宣传活动。

【释义】　本条是关于国家采取各种形式开展全民禁毒宣传教育的规定。共分为两款。

禁毒工作需要通过各种形式的宣传教育，来提高公民自觉抵制毒品的能力。禁毒宣传教育是贯彻预防为主、综合治理方针的重要环节，开展全民禁毒宣传教育，普及毒品预防知识，增强公民的禁毒意识，提高公民对毒品危害性的认识和自觉抵制毒品的能力，激发公民同毒品违法犯罪行为作斗争的热情，是十分必要的。因此，本条第一款规定，国家采取各种形式开展全民禁毒宣传教育，包括通过媒体宣传，举办展览，文艺创作和演出等多种形式，进行全民禁毒宣传教育，力求达到使禁毒工作的重要性家喻户晓、人人皆知的效果。

本条第二款是关于国家鼓励公民、组织开展公益性的禁毒宣传活动的规定。其中"开展公益性的禁毒宣传活动"是指宣传者不以盈利为目的的禁毒宣传活动。禁毒工作关系到我们每个公民和家庭的切身利益,国家鼓励公民个人和组织开展公益性的禁毒宣传活动,正是为了调动全社会的积极因素让每个公民都来关心并参加禁毒宣传工作,从而提高整体的防范毒品意识。比如有些文艺单位或者个人,将演出的所得无偿捐献给禁毒公益事业,或免费进行一些有针对性的禁毒宣传演出等,对于营造良好的社会禁毒氛围,是很有意义的。

第十二条　各级人民政府应当经常组织开展多种形式的禁毒宣传教育。

工会、共产主义青年团、妇女联合会应当结合各自工作对象的特点,组织开展禁毒宣传教育。

【释义】　本条是关于各级人民政府应当经常组织开展多种形式的禁毒宣传教育、工会、共产主义青年团、妇女联合会应当结合各自工作对象的特点,组织开展禁毒宣传教育的规定。共分为两款。

根据本条第一款的规定,针对毒品给家庭和个人及全社会带来的严重危害,各级人民政府应当长期不懈地把禁毒宣传教育当作一项任务来抓,使得对毒品危害的认识在公民中深入人心,对打击毒品违法犯罪活动的重要性家喻户晓,才能使禁毒工作有牢固的社会基础,把禁毒工作进一步引向深入。

本条第二款规定,工会、共青团、妇联应当结合各自工作对象的特点,组织开展禁毒宣传教育。例如,针对青少年尚未形成稳定的世界观,抵抗不良影响的能力较弱,加之他们自身好奇的特点，容易在违法分子的引诱下，沾染上毒瘾，尤其在生活娱乐形式比较丰富的情况下，歌厅、迪厅经常是青少年出入的场所，共青团组织要针对青少年的特点，经常开展禁毒宣传教育，组织一些有利于青少年身心健康的活动，做好对青少年的禁毒宣传教育工作。又如，目前一些地方妇女吸食毒品和参与走私、贩卖毒品违法犯罪活动的情况比较突出，特别是一些违法犯罪分子，利用妇女进行人体藏毒贩运毒品，或利用怀孕、哺乳婴儿的妇女进行贩毒。妇联组织在对妇女进行禁毒宣传教育时，应让她们知道，妇女吸食毒品，不仅会造成危害自身的身体健康的严重后果，而且还会直接危害下一代的身心发育。只有根据妇女本身的特点不断地对她们进行禁毒宣传教育，加强她们自身抵制毒品的能力，才能使她们自觉地远离毒品，同时有利于防止其子女沾染上毒品。

第十三条　教育行政部门、学校应当将禁毒知识纳入教育、教学内容，对学生进行禁毒宣传教育。公安机关、司法行政部门和卫生行政部门应当予以协助。

【释义】　本条是关于教育行政部门、学校应当将禁毒知识纳入教育、教学内容的规定。

对公民的禁毒宣传教育工作，应当从小抓起；珍爱生命、远离毒品的良好风尚，更应当从学生时代培养。从这方面讲，教育行政部门和学校负有义不容辞的责任，应当把对学生的毒品宣传教育工作和禁毒知识纳入教育、教学内容。

按照本条关于教育行政部门、学校应当将禁毒知识纳入教育、教学内容，对学生进行禁毒宣传教育的规定，教育行政部门和学校应当通过编写教材、安排教学课时或者安排专门的教育内容等方式，对学生进行禁毒知识的宣传教育。

按照本条规定，公安机关、司法行政部门和卫生行政部门应当协助教育行政部门和学校对学生进行有关禁毒知识的宣传教育。比如，在对学生进行禁毒宣传教育的时候，为了配合具体教学内容的进行，可以邀请战斗在禁毒工作第一线的公安干警，结合打击毒品违法犯罪活动的真实案例来对学生进行法制宣传教育；为了让学生加深对毒品危害的感性认识，可以组织学生参观戒毒所，亲眼目睹吸食毒品人员的状况，从而加深对毒品危害的深刻印象；也可以让有关专家走进课堂进行毒品知识的宣传教育。总之，仅靠学习课本知识是不够的，结合禁毒斗争实践进行学习，可以达到更好的效果。

第十四条　新闻、出版、文化、广播、电影、电视等有关单位，应当有针对性地面向社会进行禁毒宣传教育。

【释义】　本条是关于新闻、出版、文化、广播、电影、电视等有关单位开展禁毒宣传教育的规定。

在禁毒宣传教育工作方面，宣传媒体具有重要的作用，也负有义不容辞的责任。利用人们经常接触的宣传媒体进行禁毒宣传教育，能收到好的宣传效果。新闻、出版、文化、广播、电影、电视等有关单位应当利用各自的特点和优势，有针对性地面向社会开展禁毒宣传教育。如新闻单位可以利用新闻报道，向公民宣传有关禁毒方面的最新形势和国际、国内打击毒品违法犯罪活动的新闻内容，使公民对禁毒的国际、国内形势有所了解；出版单位可以利用各种出版物，向公民宣传有关禁毒知识，使公民提高免遭毒品侵害的辨别能力。广播、电影、电视等单位可以通过编制、播放有关禁毒宣传教育的影片、电视剧等，向社会进行禁毒宣传教育。

第十五条　飞机场、火车站、长途汽车站、码头以及旅店、娱乐场所等公共场所的经营者、管理者，负责本场所的禁毒宣传教育，落实禁毒防范措施，预防毒品违法犯罪行为在本场所内发生。

【释义】　本条是关于公共场所的经营者、管理者负有禁毒宣传和落实禁毒防范措施义务的规定。

毒品危害人民健康，滋生犯罪，破坏社会和谐。对一切毒品违法犯罪活动必须严加禁绝。为了预防毒品违法犯罪行为，实现禁绝毒品的目标，加强禁毒的宣传教育，落实相关的禁毒防范措施十分必要。

本条体现了三个方面的内容：

1. 本条规定的责任主体是飞机场、火车站、长途汽车站、码头以及旅店、娱乐场所等公共场所的经营者、管理者。飞机场、火车站、长途汽车站、码头是重要的交通枢纽，是人们往来于各地的途径、中转场所，这些场所很有可能被违法犯罪人员利用以从事贩卖、运输毒品等活动。这里所说的“旅店”，根据《旅馆业治安管理办法》的规定，是指经营接待旅客住宿的旅馆、饭店、宾馆、招待所、客货栈、车马店、浴池等场所。“娱乐场所”,根据《娱乐场所管理条例》规定,是指以营利为目的,并向公众开放、消费者自娱自乐的歌舞、游艺等场所。当前在一些旅店和娱乐场所吸食海洛因、大麻或者吸食冰毒、摇头丸、氯胺酮等新型毒品问题蔓延很快,严重污染社会风气,这就要求公共场所的经营者、管理者必须加强对本场所的监督管理,预防毒品违法犯罪行为在本场所内发生。

2. 公共场所的经营者、管理者负有本场所禁毒宣传教育的义务。开展禁毒宣传教育活动,是强化毒品预防工作、遏制毒品问题发展蔓延的重要措施。公共场所的经营者、管理者应当根据本场所的特点、条件以及可能发生的毒品违法犯罪行为,建立禁毒宣传教育的长效机制,通过发放禁毒宣传册和宣传单,张贴禁毒宣传画,设置禁毒警示标牌等形式,向群众介绍预防毒品知识,以及如何防范毒品违法犯罪活动等知识。

3. 公共场所的经营者、管理者负有落实禁毒防范措施,预防毒品违法犯罪行为在本场所内发生的义务。根据本条规定,飞机场、火车站、长途汽车站、码头以及旅店、娱乐场所等公共场所的经营者、管理者负责落实禁毒防范措施,预防毒品违法犯罪行为在本场所内发生。为了阻止毒品的流入危害社会,公共场所的经营者、管理者应当配合公安、文化、工商等部门落实禁毒防范措施:一是制定相关的禁毒防范措施预案;二是建立巡查制度,发现场所内有违法犯罪活动的,应当立即向公安机关报告;三是加强内部管理,建立健全禁毒管理制度,增强从业人员自律意识,有效预防和减少毒品违法行为的发生;四是有条件的场所,可以在大厅、大堂、主要通道等公共场所安装必要的监控设备，或采用一些科技手段加强禁毒防范措施。

第十六条　国家机关、社会团体、企业事业单位以及其他组织，应当加强对本单位人员的禁毒宣传教育。

【释义】　本条是关于有关单位应当加强禁毒宣传教育的规定。

禁毒是全社会的共同责任，国家机关、社会团体、企业事业单位以及其他组织必须高度重视禁毒问题，深刻认识开展禁毒教育的重要性和紧迫性，认识到与毒品违法犯罪行为作斗争是维护社会治安、维护广大人民群众利益的根本需要，是促进经济发展、构建和谐社会的一项重要工作，增强做好禁毒宣传教育的责任感和使命感，加大力度，强化措施，落实责任，加强对本单位人员的禁毒宣传教育。

国家机关、社会团体、企业事业单位以及其他组织，应当根据本单位的条件，充分利用本单位的资源，结合当前的毒品形势和禁毒工作的重点，制定切实可行的宣传教育活动方案，突出重点、常抓不懈、注重实效，增强禁毒教育的科学性、广泛性、针对性和实效性，倡导积极、健康的生活态度和生活方式，通过多种形式普及禁毒知识，传播禁毒观念，宣传禁毒法规，增强本单位人员禁毒意识，提高对毒品及其危害的认知能力和抵御能力，在单位形成抵制毒品、参与禁毒的氛围，为预防和减少毒品违法犯罪行为，构建社会主义和谐社会作出贡献。

第十七条　居民委员会、村民委员会应当协助人民政府以及公安机关等部门，加强禁毒宣传教育，落实禁毒防范措施。

【释义】　本条是关于居民委员会、村民委员会应当协助政府加强禁毒宣传教育，落实禁毒防范措施的规定。

根据城市居民委员会组织法的规定，居民委员会是居民自我管理、自我教育、自我服务的基层群众性自治组织，是进行社会治安综合治理，预防违法犯罪行为，维护社会和谐稳定的重要力量。为打好禁毒的人民战争，居民委员会、村民委员会要走在禁毒宣传的第一线，宣传法律法规和国家政策，积极配合人民政府以及公安机关等部门做好禁毒宣传教育，通过发放宣传单、张贴宣传画，组织开展形式多样、内容丰富、注重实效的禁毒宣传教育活动，增强人民群众识毒、防毒和拒毒能力，并积极参与禁毒斗争。

居民委员会、村民委员在做好禁毒宣传教育的同时，还应当利用基层组织的自身优势，依靠群众，积极协助人民政府以及公安机关等部门，落实相关的禁毒预防、禁吸戒毒、堵源截流、禁毒严打、禁毒严管等禁毒防范措施，发动居民、村民进行禁毒自我教育、自我防范和自我管理，为推动创建“无毒社区”“无毒村”活动的深入开展，全力遏制毒品危害，实现无毒目标作出努力。

第十八条　未成年人的父母或者其他监护人应当对未成年人进行毒品危害的教育，防止其吸食、注射毒品或者进行其

他毒品违法犯罪活动。

【释义】 本条是关于未成年人的父母或者其他监护人应当加强对未成年人毒品危害教育的规定。

未成年人是祖国未来的建设者,是中国特色社会主义事业的接班人,他们肩负着国家强盛、民族兴旺、社会进步的重任,是国家的未来和民族的希望。毒品泛滥,一些未成年人在毒品的烟雾中沉沦、堕落,直接危害着未成年人的健康成长,这是一个关系到中华民族兴衰、关系国家前途和命运的问题。因此,必须高度重视对未成年人的禁毒教育。

毒品对未成年人有极其严重的危害,主要表现在:一是吸毒严重损害未成年人的身体健康。各类毒品都会对人体的中枢神经产生高度的刺激,长期吸毒,则会严重损害人的大脑、心脏、肺、肾等内分泌系统和自身的免疫系统。特别是吸毒成瘾后,吸毒者往往面黄肌瘦、浑身无力、精神恍惚,严重时还会丧失学习的能力。二是吸毒严重地损害未成年人的心理健康。未成年人吸毒后,毒品的药物作用使脑部萎缩,造成智力明显下降,上课时注意力不集中,生活上自我控制能力减退,情绪不稳,易发脾气,在思想上缺乏积极向上的进取心,丧失了正确的人生观和世界观,自私自利,意志消沉。三是毒品会诱发未成年人违法犯罪。吸毒和犯罪是孪生兄弟,未成年人吸毒后,就对毒品产生了依赖,为获取毒资,吸毒成瘾的人往往会不择手段地进行偷窃、抢劫、诈骗、敲诈等犯罪活动。因此,本条规定,未成年人的父母或者其他监护人应当对未成年人进行毒品危害的教育,防止其吸食、注射毒品或者进行其他毒品违法犯罪活动。

本条包含两层意思:

1. 明确未成年人的父母或者其他监护人负有对未成年人进行毒品危害教育的责任。

这样规定的主要考虑:一是家庭的环境和父母的品行,对未成年人的成长有着极其重要的影响,家庭教育是预防未成年人毒品违法犯罪行为的第一道防线;二是父母或其他监护人和未成年人生活在一起,照料他们的衣食住行,而未成年人对父母或其他监护人有着很大的依赖性,父母便于了解他们的行为情况,便于掌握他们的心理和要求,有利于及时有针对性地对其进行毒品危害教育;三是有关法律对未成年人的父母或者其他监护人规定了相应的职责。如未成年人保护法规定,父母或者其他监护人应当创造良好、和睦的家庭环境,依法履行对未成年人的监护职责和抚养义务,父母或者其他监护人应当学习家庭教育知识,正确履行监护职责,抚养教育未成年人。预防未成年人犯罪法规定,未成年人的父母或者其他监护人对未成年人的法制教育负有直接责任。基于上述规定,本条要求未成年人的父母或者其他监护人应当对未成年人进行毒品危害的教育。这里的"未成年人",是指未满十八周岁的公民。"监护",是指对未成年人的人身、财产及其他一切合法权益的监督和保护。承担这种监护任务的人叫监护人。监护人一般由公民担任,在特殊情况下也可由有关的组织担任。根据民法通则的规定,以下几种人能够担任未成年人的监护人:(1)未成年人的父母是未成年人的法定监护人。

(2)未成年人的父母已经死亡或者没有监护能力的,由有监护能力的祖父母、外祖父母;兄、姐;经未成年人的父母所在单位或者未成年人住所地的居民委员会、村民委员会同意的关系密切,并且有监护能力、愿意承担监护责任的其他亲属、朋友。(3)无上述监护人时,由未成年人父母所在单位,或者未成年人住所地的居民委员会、村民委员会,或者民政部门担任监护人。

2. 未成年人的父母或者其他监护人对未成年人教育的内容,应当是进行毒品危害的教育,防止其吸食、注射毒品或者进行其他毒品违法犯罪活动。

未成年人的父母或者其他监护人首先要对未成年人进行毒品危害性教育,告知毒品有关知识,可以让未成年人通过阅读报纸和收听广播中有关毒品方面的知识,观看电视、电影拍摄有关禁毒的专题片,带他们参观禁毒展览,参加禁毒公益活动,认识和了解毒品的严重危害性。其次要增强未成年人禁毒防毒意识,告之未成年人如何远离毒品,要从思想上真正认识毒品的危害,使贩毒分子和吸毒者不能接近他们;要告诫他们绝不能以身试毒,千万不能有好奇心理,让未成年人珍爱生命,拒绝毒品,是未成年人的父母或者其他监护人的重要职责。再次要密切关注未成年人的成长,防止其吸毒或者进行其他毒品违法犯罪行为。在吸毒人员中,由于无知、好奇、被他人引诱而吸毒的未成年人比例不小,未成年人正处于生理、心理发展时期,心理防线薄弱,好奇心强,判别是非能力差,不易抵制毒品的侵袭,加之对毒品的危害性和吸毒的违法性缺乏认识,最易受到毒品的侵袭。因此,当未成年人进入青春期后,毒品、酒和香烟对他们的诱惑力便会大大地增强,尤其是学校里有人在尝试这些危险的东西时更是如此。这个时候,父母或者其他监护人应当时常关注未成年人,经常与未成年人进行沟通,了解未成年人的心思、结交的朋友、空闲时的所作所为等,还应当加强与未成年人所在的学校的联系,以便掌握未成年人在校的情况,有针对性地对未成年人进行教育。发现未成年人有可能涉足毒品,应当及时采取措施,使其认识到毒品的严重危害性,增强法制观念,帮助其纠正不良行为,防止其走上毒品违法犯罪的道路。只有这样才能使教育更具有针对性,收到良好效果,这也是法律明确给未成年人的父母或者其他监护人规定的职责和义务。

第三章　毒品管制

第十九条　国家对麻醉药品药用原植物种植实行管制。禁止非法种植罂粟、古柯植物、大麻植物以及国家规定管制的可以用于提炼加工毒品的其他原植物。禁止走私或者非法买卖、运输、携带、持有未经灭活的毒品原植物种子或者幼苗。

地方各级人民政府发现非法种植毒品原植物的，应当立即采取措施予以制止、铲除。村民委员会、居民委员会发现非法种植毒品原植物的，应当及时予以制止、铲除，并向当地公安机关报告。

【释义】　本条是关于对麻醉药品药用原植物种植实行管制的规定。共分为两款。

本条第一款是关于国家对麻醉药品药用原植物种植实行管制，禁止非法种植、禁止走私或者非法买卖、运输、携带、持有毒品原植物的规定。

这里的“麻醉药品药用原植物”，是指罂粟、古柯植物、大麻植物，以及国家规定管制的可以用于提炼加工毒品的其他原植物（如咔特树、仙人球毒碱、麦角菌、植物麻黄、毒蝇伞等）。为从源头上禁绝毒品，加强对麻醉药品药用原植物的管制十分必要。管制的主要内容包括：

1. 只能依法按照计划种植。按照国务院颁布的《麻醉药品和精神药品管理条例》的规定，麻醉药品药用原植物种植只能由国务院药品监督管理部门和国务院农业主管部门共同确定企业种植，其他单位和个人不得种植。国家根据麻醉药品和精神药品的医疗、国家储备和企业生产所需原料的需要确定需求总量，对麻醉药品药用原植物的种植、麻醉药品和精神药品的生产实行总量控制。国务院药品监督管理部门和国务院农业主管部门根据麻醉药品年度生产计划，制定麻醉药品药用原植物年度种植计划。

2. 禁止非法种植。这里的"非法种植"，是指未经国家主管部门批准，私自种植毒品原植物，或者没有按照批准的种植计划、限定数量进行种植。对于非法种植罂粟、古柯植物、大麻植物以及国家规定管制的可以用于提炼加工毒品的其他原植物的行为，法律作出了明确的处罚规定。刑法第三百五十一条规定，非法种植罂粟、大麻等毒品原植物的，一律强制铲除。有下列情形之一的，处五年以下有期徒刑、拘役或者管制，并处罚金：(一)种植罂粟五百株以上不满三千株或者其他毒品原植物数量较大的；(二)经公安机关处理后又种植的；(三)抗拒铲除的。非法种植罂粟三千株以上或者其他毒品原植物数量大的，处五年以上有期徒刑，并处罚金或者没收财产。

3. 禁止走私或者非法买卖、运输、携带、持有未经灭活的毒品原植物种子或者幼苗。"未经灭活的毒品原植物种子或者幼苗"，是指没有经过烘烤、放射线照射等处理手段，还能继续繁殖、发芽的罂粟等毒品原植物种子或者幼苗。依照治安管理处罚法第七十一条规定，非法买卖、运输、携带、持有少量未经灭活的罂粟等毒品原植物种子或者幼苗的，处十日以上十五日以下拘留，可以并处三千元以下罚款；情节较轻的，处五日以下拘留或者五百元以下罚款。刑法第三百五十二条规定，非法买卖、运输、携带、持有未经灭活的罂粟等毒品原植物种子或者幼苗，数量较大的，处三年以下有期徒刑、拘役或者管制，并处或者单处罚金。

本条第二款是关于发现非法种植毒品原植物应当予以制止、铲除的规定。本款主要有两个方面的内容：

1. 地方各级人民政府发现非法种植毒品原植物的，应当立即采取措施予以制止、铲除。公安部、卫生部发布的《关于严禁非法种植罂粟的通知》规定："各地公安、卫生部门都要将本地私种罂粟的情况摸清并如实向党委、政府报告，采取有力措施查禁。要根据南方、北方不同的种植季节，切实组织足够的力量，深入农村、山区检查、督促铲除罂粟的工作，不能贻误收割季节。对已种植的，要责令本人铲除或强行铲除。对留存的罂粟种子和已收获的大烟果要全部收缴。"

2. 村民委员会、居民委员会发现非法种植毒品原植物的，应当及时予以制止、铲除，并向当地公安机关报告。村民委员会、居民委员会在按照本法规定做好禁毒宣传教育工作的同时，还应当协助人民政府做好监督检查工作。特别是在农村，村民委员会一旦发现有非法种植毒品原植物的，应当及时予以制止、铲除，并向公安机关报告。城市居民也有可能存在种植毒品原植物的情况，居民委员会如果发现有非法种植毒品原植物的，也应当及时予以制止、铲除，并立即向当地公安机关报告。

第二十条　国家确定的麻醉药品药用原植物种植企业，必须按照国家有关规定种植麻醉药品药用原植物。

国家确定的麻醉药品药用原植物种植企业的提取加工场所，以及国家设立的麻醉药品储存仓库，列为国家重点警戒目标。

未经许可，擅自进入国家确定的麻醉药品药用原植物种植企业的提取加工场所或者国家设立的麻醉药品储存仓库等警戒区域的，由警戒人员责令其立即离开；拒不离开的，强行带离现场。

【释义】　本条是关于麻醉药品药用原植物种植和对麻醉药品储存场所予以警戒的规定。共分为三款。

本条第一款是关于麻醉药品药用原植物种植的规定。

麻醉药品药用原植物是制造麻醉药品的原料，加强对麻醉药品药用原植物种植企业的监督管理，有利于防止麻醉药品药用原植物流入非法渠道制造毒品。针对麻醉药品药用原植物种植企业的管理，本法和《麻醉药品和精神药品管理条例》、《麻醉药品和精神药品生产管理办法（试行）》都作了明确的规定。根据本款规定，国家确定的麻醉药品药用原植物种植企业，必须按照国家有关规定种植麻醉药品药用原植物。

1. 麻醉药品药用原植物种植企业必须是国家确定的种植

企业。《麻醉药品和精神药品管理条例》规定，麻醉药品药用原植物种植企业由国务院药品监督管理部门和国务院农业主管部门共同确定，其他单位和个人不得种植麻醉药品药用原植物。国家在对种植企业数量进行限制的同时，对种植的数量也有严格的控制，国家根据麻醉药品和精神药品的医疗、国家储备和企业生产所需原料的需要确定需求总量，对麻醉药品药用原植物的种植实行总量控制，国务院药品监督管理部门和国务院农业主管部门根据麻醉药品年度生产计划，制定麻醉药品药用原植物年度种植计划。

2. 麻醉药品药用原植物种植企业，必须按照国家有关规定种植麻醉药品药用原植物。《麻醉药品和精神药品管理条例》规定，麻醉药品药用原植物种植企业应当根据年度种植计划，种植麻醉药品药用原植物，种植企业应当向国务院药品监督管理部门和国务院农业主管部门定期报告种植情况。麻醉药品药用原植物种植企业和麻醉药品、精神药品生产企业，还应当按照要求建立向药品监督管理部门报送信息的网络终端，及时将麻醉药品和精神药品生产、销售、库存情况上报。《麻醉药品和精神药品生产管理办法（试行）》规定，麻醉药品药用原植物种植企业应当于每年 10 月底前向国家食品药品监督管理局和农业部报送下一年度麻醉药品药用原植物种植计划。国家食品药品监督管理局应当会同农业部于每年 1 月 20 日前下达本年度麻醉药品药用原植物种植计划。因此，种植企业必须严格按照国务院药品监督管理部门审批的年度种植计划组织生产，任何违反指令性计划而超量种植麻醉药品药用原植物，都是非法的。

本条第二款、第三款是对麻醉药品药用原植物种植企业的提取加工场所和麻醉药品储存仓库采取警戒措施的规定。

1. 国家为了防止麻醉药品的滥用，危害人民群众的身心健康，不仅对麻醉药品药用原植物的种植进行了严格的限制，还对麻醉药品药用原植物的企业的提取加工场所和麻醉药品的储存仓库的保护措施作了明确规定。本款规定，国家确定的麻醉药品药用原植物种植企业的提取加工场所，以及国家设立的麻醉药品储存仓库，列为国家重点警戒目标。这里所说的“提取加工场所”，是指对成熟的麻醉药品药用原植物采集、收成后，进行提炼、加工、制作成药品原料的专门场所。“储存仓库”是指用于储存麻醉药品、精神药品和药用原植物的专门场所。《麻醉药品和精神药品管理条例》规定，麻醉药品药用原植物种植企业、国家设立的麻醉药品储存单位，应当设置储存麻醉药品和第一类精神药品的专库。该专库应当符合下列要求：(1)安装专用防盗门，实行双人双锁管理；(2)具有相应的防火设施；(3)具有监控设施和报警装置，报警装置应当与公安机关报警系统联网。《麻醉药品和精神药品生产管理办法(试行)》规定，麻醉药品、第一类精神药品专用仓库必须位于库区建筑群之内，不靠外墙，仓库采用无窗建筑形式，整体为钢筋混凝土结构，具有抗撞击能力，入口采用钢制保险库门。第二类精神药品原料药以及制剂应当在药品库中设立独立的专库存放。麻醉药品生产区、生产车间、仓库出入口以及仓库内部等关键部位应当安装摄像装置，监控生产的主要活动并记录,仓库还应当安装自动报警系统,并与公安部门报警系统联网。

2. 依照本款规定,麻醉药品药用原植物种植企业的提取加工场所和麻醉药品储存仓库应列为国家重点警戒目标,采取严格的保护措施,进行重点防范,以防止麻醉药品流入非法渠道,危害人们的健康。“国家重点警戒目标”采取严格的安全警卫措施,对出入警戒区域的人员证件、车辆和物品都要进行检查,未经允许,任何人、车辆不得擅自进入该场所。

3. 依照本条第三款的规定,对擅自进入麻醉药品药用原植物种植企业的提取加工场所和麻醉药品储存仓库等警戒区域的,一是由警戒人员责令其立即离开;二是拒不离开的,警戒人员应将其强行带离现场。“强行带离现场”,是一种强制性措施,主要是采用限制身体行动自由的方式,强制将行为人带离开有关场所。警戒人员依法实施“强行带离现场”强制措施,属于依法执行公务的行为,如果出现有阻碍、抗拒等行为,可以依法采取相关措施。

第二十一条　国家对麻醉药品和精神药品实行管制,对麻醉药品和精神药品的实验研究、生产、经营、使用、储存、运输实行许可和查验制度。

国家对易制毒化学品的生产、经营、购买、运输实行许可制度。

禁止非法生产、买卖、运输、储存、提供、持有、使用麻醉药品、精神药品和易制毒化学品。

【释义】 本条是关于对麻醉药品、精神药品和易制毒化学品实行管制的规定。共分为三款。

本条第一款是关于麻醉药品和精神药品实行许可和查验制度的规定。

根据《麻醉药品和精神药品管理条例》的规定,“麻醉药品和精神药品”,是指列入国家的麻醉药品和精神药品管制目录的药品和其他物质,麻醉药品和精神药品管制目录由国务院药品监督管理部门会同国务院公安部门、国务院卫生主管部门制定、调整并公布。具体说“麻醉药品”,是指阿片类、大麻类、可卡因类等天然来源、半合成或合成的一些具有依赖性潜力的药用原植物、药品和物质。根据麻醉药品和精神药品品种目录规定,麻醉药品有 123 种,包括海洛因、吗啡、鸦片、大麻、可卡因、美沙酮、二氢埃托啡、杜冷丁等。“精神药品”是指致幻剂、兴奋剂、镇静催眠剂等一些具有依赖性潜力的药品和物质,分为两类。麻醉药品和精神药品品种目录规定,第一类精神药品有 53 种,第二类精神药品有 79 种。

麻醉药品在临床医学上主要用于镇痛,对癌症等伴有剧烈疼痛的疾病的临床治疗具有不可替代的作用,常用品种有吗啡、杜冷丁、芬太尼等。精神药品在临床医学上主要用于镇静催眠、兴奋等,是治疗癫痫、失眠、抑郁症等精神疾病的主要药物,常用品种有安定、速可眠、利他林等。但是,麻醉药品和精神药品又具有较强的药物依赖性,不合理使用或者滥用会成瘾,产生身体依赖或者精神依赖,流入非法渠道更会产生严重的社会问题。鉴于麻醉药品和精神药品的这种双重性质，联合国先后通过了《1961 年麻醉品单一公约》和《1971 年精神药物公约》，要求各缔约国对麻醉药品和精神药品实行严格管制，并保证合理用药需求，我国于 1985 年加入了上述两个公约，并由国务院制定了《麻醉药品和精神药品管理条例》，国家药品监督管理局颁布了《麻醉药品和精神药品生产管理办法（试行）》《麻醉药品和精神药品经营管理办法（试行）》《麻醉药品和精神药品邮寄管理办法》《麻醉药品和精神药品运输管理办法》等，这些规定对麻醉药品和精神药品生产、经营、使用、储存、运输等采取严格审批、定点控制等多项管制措施，对麻醉药品和精神药品的合法、安全、合理使用，防止其流入非法渠道，发挥了积极作用。本法重申了国家对麻醉药品和精神药品的管制规定，包括：

1. 对麻醉药品和精神药品的实验研究实行许可和查验制度。这里的“实验研究”，是指以医疗、科学研究或者教学为目的的临床前药物研究。《麻醉药品和精神药品管理条例》规定，开展麻醉药品和精神药品实验研究活动应当具备下列条件，并经国务院药品监督管理部门批准：（1）以医疗、科学研究或者教学为目的；（2）有保证实验所需麻醉药品和精神药品安全的措施和管理制度；（3）单位及其工作人员两年内没有违反有关禁毒的法律、行政法规规定的行为。麻醉药品和精神药品的实验研究单位申请相关药品批准证明文件，应当依照药品管理法的规定办理；需要转让研究成果的，应当经国务院药品监督管理部门批准。条例还规定，药品监督管理部门应当根据规定的职责权限，对麻醉药品和精神药品的实验研究活动进行监督检查。

2. 对麻醉药品和精神药品的生产实行许可和查验制度。国家对麻醉药品和精神药品实行定点生产制度，麻醉药品和精神药品的定点生产企业应当具备下列条件：(1)有药品生产许可证；(2)有麻醉药品和精神药品实验研究批准文件；(3)有符合规定的麻醉药品和精神药品生产设施、储存条件和相应的安全管理设施；(4)有通过网络实施企业安全生产管理和向药品监督管理部门报告生产信息的能力；(5)有保证麻醉药品和精神药品安全生产的管理制度；(6)有与麻醉药品和精神药品安全生产要求相适应的管理水平和经营规模；(7)麻醉药品和精神药品生产管理、质量管理部门的人员应当熟悉麻醉药品和精神药品管理以及有关禁毒的法律、行政法规；(8)没有生产、销售假药、劣药或者违反有关禁毒的法律、行政法规规定的行为；(9)符合国务院药品监督管理部门公布的麻醉药品和精神药品定点生产企业数量和布局的要求。对于从事麻醉药品、第一类精神药品生产以及第二类精神药品原料药生产的企业，应当经所在地省、自治区、直辖市人民政府药品监督管理部门初步审查，由国务院药品监督管理部门批准；从事第二类精神药品制剂生产的企业，应当经所在地省、自治区、直辖市人民政府药品监督管理部门批准。定点生产企业应当严格按照麻醉药品和精神药品年度生产计划安排生产，并依照规定向所在地省、自治区、直辖市人民政府药品监督管理部门报告生产情况。药品监督管理部门应当根据规定的职责权限,对麻醉药品和精神药品的生产活动进行监督检查,省级以上人民政府药品监督管理部门根据实际情况建立监控信息网络,对定点生产企业的生产数量以及流向实行实时监控,并与同级公安机关做到信息共享。

3. 对麻醉药品和精神药品的经营实行许可和查验制度。国家对麻醉药品和精神药品实行定点经营制度,跨省、自治区、直辖市从事麻醉药品和第一类精神药品批发业务的企业,应当经国务院药品监督管理部门批准;在本省、自治区、直辖市行政区域内从事麻醉药品和第一类精神药品批发业务的企业,应当经所在地省、自治区、直辖市人民政府药品监督管理部门批准;专门从事第二类精神药品批发业务的企业,应当经所在地省、自治区、直辖市人民政府药品监督管理部门批准。药品监督管理部门应当根据规定的职责权限,对麻醉药品和精神药品的经营活动进行监督检查,省级以上人民政府药品监督管理部门根据实际情况建立监控信息网络,对定点批发企业的进货、销售数量实行实时监控,并与同级公安机关做到信息共享。

4. 对麻醉药品和精神药品的使用实行许可和查验制度。对麻醉药品和精神药品使用的许可和查验主要包括以下几个方面的内容:(1)药品生产企业需要以麻醉药品和第一类精神药品为原料生产普通药品的,应当向所在地省、自治区、直辖市人民政府药品监督管理部门报送年度需求计划,由省、自治区、直辖市人民政府药品监督管理部门汇总报国务院药品监督管理部门批准后,向定点生产企业购买。药品生产企业需要以第二类精神药品为原料生产普通药品的，应当将年度需求计划报所在地省、自治区、直辖市人民政府药品监督管理部门，并向定点批发企业或者定点生产企业购买。(2)食品、食品添加剂、化妆品、油漆等非药品生产企业需要使用咖啡因作为原料的，应当经所在地省、自治区、直辖市人民政府药品监督管理部门批准，向定点批发企业或者定点生产企业购买。(3)科学研究、教学单位需要使用麻醉药品和精神药品开展实验、教学活动的，应当经所在地省、自治区、直辖市人民政府药品监督管理部门批准，向定点批发企业或者定点生产企业购买。(4)医疗机构需要使用麻醉药品和第一类精神药品的，应当经所在地设区的市级人民政府卫生主管部门批准，取得麻醉药品、第一类精神药品购用印鉴卡，医疗机构应当凭印鉴卡向本省、自治区、直辖市行政区域内的定点批发企业购买麻醉药品和第一类精神药品；医疗机构抢救病人急需麻醉药品和第一类精神药品而本医疗机构无法提供时，可以从其他医疗机构或者定点批发企业紧急借用，抢救工作结束后，应当及时将借用情况报所在地设区的市级药品监督管理部门和卫生主管部门备案。(5)因治疗疾病需要，个人凭医疗机构出具的医疗诊断书、本人身份证明，可以携带单张处方最大用量以内的麻醉药品和第一类精神药品。(6)医疗机构、戒毒机构以开展戒毒治疗为目的，可以使用美沙酮或者国家确定的其他用于戒毒治疗的麻醉药品和精神药品，具体管理办法由国务院药品监督管理部门、国务院公安部门和国务院卫生主管部门制定。(7)药品监督管理部门应当根据规定的职责权限，对麻醉药品和精神药品的使用活动进行监督检查，省级以上人民政府药品监督管理部门根据实际情况建立监控信息网络，对使用单位的进货、使用的数量以及流向实行实时监控，并与同级公安机关做到信息共享。

5. 对麻醉药品和精神药品的储存实行许可和查验制度。麻醉药品定点生产企业、全国性批发企业和区域性批发企业以及国家设立的麻醉药品储存单位，应当设置储存麻醉药品和第一类精神药品的专库，该专库应当符合下列要求：（1）安装专用防盗门，实行双人双锁管理；（2）具有相应的防火设施；（3）具有监控设施和报警装置，报警装置应当与公安机关报警系统联网。麻醉药品和第一类精神药品的使用单位应当设立专库或者专柜储存麻醉药品和第一类精神药品，专库应当设有防盗设施并安装报警装置；专柜应当使用保险柜；专库和专柜应当实行双人双锁管理。药品监督管理部门应当根据规定的职责权限，对麻醉药品和精神药品的储存活动进行监督检查，省级以上人民政府药品监督管理部门根据实际情况建立监控信息网络，对定点生产企业、定点批发企业和使用单位的库存的数量和流向实行实时监控，并与同级公安机关做到信息共享。

6. 对麻醉药品和精神药品的运输实行许可和查验制度。对麻醉药品和精神药品运输的许可和查验主要有三个方面的内容：（1）通过铁路运输麻醉药品和第一类精神药品的，应当使用集装箱或者铁路行李车运输，具体办法由国务院药品监督管理部门会同国务院铁路主管部门制定；没有铁路需要通过公路或者水路运输麻醉药品和第一类精神药品的，应当由专人负责押运。(2)托运或者自行运输麻醉药品和第一类精神药品的单位，应当向所在地省、自治区、直辖市人民政府药品监督管理部门申请领取运输证明。(3)邮寄麻醉药品和精神药品，寄件人应当提交所在地省、自治区、直辖市人民政府药品监督管理部门出具的准予邮寄证明。邮政营业机构应当查验、收存准予邮寄证明；没有准予邮寄证明的，邮政营业机构不得收寄。药品监督管理部门应当根据规定的职责权限，对麻醉药品和精神药品的运输活动进行监督检查。

本条第二款是关于易制毒化学品实行许可制度的规定。

“易制毒化学品”，是指国家规定管制的可用于制造麻醉药品和精神药品的化学原料及配剂，分为三类：第一类是可以用于制毒的主要原料，包括黄樟油、异黄樟素、邻氨基苯甲酸、麻黄素等物质；第二类、第三类是可以用于制毒的化学配剂，第二类有苯乙酸、醋酸酐、三氯甲烷、乙醚、哌啶，第三类有甲苯、丙酮、甲基乙基酮、高锰酸钾、硫酸、盐酸。根据《易制毒化学品管理条例》的规定，易制毒化学品的分类和品种需要调整的，由国务院公安部门会同国务院药品监督管理部门、安全生产监督管理部门、商务主管部门、卫生主管部门和海关总署提出方案，报国务院批准；省、自治区、直辖市人民政府认为有必要在本行政区域内调整分类或者增加条例规定以外的品种的，应当向国务院公安部门提出，由国务院公安部门会同国务院有关行政主管部门提出方案，报国务院批准。易制毒化学品具有双重性，既广泛运用于工农业生产和人们生活，又可能流入非法渠道用于制造毒品，随着国际毒潮日益泛滥，尤其是制贩和滥用冰毒、摇头丸等合成毒品的不断发展蔓延，利用易制毒化学品进行违法犯罪问题日益严重，导致大量易制毒化学品流入非法地下毒品加工厂被用于制造毒品。加强对易制毒化学品生产、经营各环节的管理，可以从源头上控制易制毒化学品流入非法渠道制造毒品。为此，国务院制定了《易制毒化学品管理条例》，有关部门制定了《易制毒化学品购销和运输管理办法》《非药品类易制毒化学品生产、经营许可办法》等有关规定，本法进一步重申了我国对易制毒化学品进行严格管理，对易制毒化学品的生产、经营、购买、运输实行许可的制度。

1．对易制毒化学品的生产实行许可制度。依照国家有关规定，申请生产第一类易制毒化学品，应当具备下列条件：(1)属依法登记的化工产品生产企业或者药品生产企业；(2)有符合国家标准的生产设备、仓储设施和污染物处理设施；(3)有严格的安全生产管理制度和环境突发事件应急预案；(4)企业法定代表人和技术、管理人员具有安全生产和易制毒化学品的有关知识，无毒品犯罪记录；(5)法律、法规、规章规定的其他条件。申请生产第一类中的药品类易制毒化学品，还应当在仓储场所等重点区域设置电视监控设施以及与公安机关联网的报警装置。申请生产第一类中的药品类易制毒化学品的，由国务院药品监督管理部门审批；申请生产第一类中的非药品类易制毒化学品的，由省、自治区、直辖市人民政府安全生产监督管理部门审批；生产第二类、第三类易制毒化学品的，应当自生产之日起三十日内，将生产的品种、数量等情况，向所在地的设区的市级人民政府安全生产监督管理部门备案，行政主管部门应当于收到备案材料的当日发给备案证明。

2. 对易制毒化学品的经营实行许可制度。申请经营第一类易制毒化学品，应当具备下列条件：(1)属依法登记的化工产品经营企业或者药品经营企业；(2)有符合国家规定的经营场所，需要储存、保管易制毒化学品的，还应当有符合国家技术标准的仓储设施；(3)有易制毒化学品的经营管理制度和健全的销售网络；(4)企业法定代表人和销售、管理人员具有易制毒化学品的有关知识，无毒品犯罪记录；(5)法律、法规、规章规定的其他条件。申请经营第一类中的药品类易制毒化学品的，由国务院药品监督管理部门审批；申请经营第一类中的非药品类易制毒化学品的，由省、自治区、直辖市人民政府安全生产监督管理部门审批；经营第二类易制毒化学品的，应当自经营之日起三十日内，将经营的品种、数量、主要流向等情况，向所在地的设区的市级人民政府安全生产监督管理部门备案；经营第三类易制毒化学品的，应当自经营之日起三十日内，将经营的品种、数量、主要流向等情况，向所在地的县级人民政府安全生产监督管理部门备案，行政主管部门应当于收到备案材料的当日发给备案证明。

3. 对易制毒化学品的购买实行许可制度。申请购买第一类易制毒化学品，应当提交下列证件：(1)经营企业提交企业营业执照和合法使用需要证明；(2)其他组织提交登记证书

（成立批准文件）和合法使用需要证明。申请购买第一类中的药品类易制毒化学品的，由所在地的省、自治区、直辖市人民政府药品监督管理部门审批；申请购买第一类中的非药品类易制毒化学品的，由所在地的省、自治区、直辖市人民政府安全生产监督管理部门审批；持有麻醉药品、第一类精神药品购买印鉴卡的医疗机构购买第一类中的药品类易制毒化学品的，无须申请第一类易制毒化学品购买许可证；购买第二类、第三类易制毒化学品的，应当在购买前将所需购买的品种、数量，向所在地的县级人民政府公安机关备案；个人自用购买少量高锰酸钾的，无须备案。

4. 对易制毒化学品的运输实行许可制度。对易制毒化学品的运输许可主要以下几种情况：（1）跨设区的市级行政区域（直辖市为跨市界）或者在国务院公安部门确定的禁毒形势严峻的重点地区跨县级行政区域运输第一类易制毒化学品的，由运出地的设区的市级人民政府公安机关审批；运输第二类易制毒化学品的，由运出地的县级人民政府公安机关审批；运输第三类易制毒化学品的，应当在运输前向运出地的县级人民政府公安机关备案，公安机关应当于收到备案材料的当日发给备案证明。对许可运输第一类易制毒化学品的，发给一次有效的运输许可证；对许可运输第二类易制毒化学品的，发给三个月有效的运输许可证，对于六个月内运输安全状况良好的，发给十二个月有效的运输许可证。（2）运输供教学、科研使用的一百克以下的麻黄素样品和供医疗机构制剂配方使用的小包装麻黄素以及医疗机构或者麻醉药品经营企业购买麻黄素片剂六万片以下、注射剂1.5万支以下，货主或者承运人持有依法取得的购买许可证明或者麻醉药品调拨单的，无须申请易制毒化学品运输许可。(3)因治疗疾病需要，患者、患者近亲属或者患者委托的人凭医疗机构出具的医疗诊断书和本人的身份证明，可以随身携带第一类中的药品类易制毒化学品药品制剂，但是不得超过医用单张处方的最大剂量。

本条第三款是关于禁止非法生产、买卖、运输、储存、提供、持有、使用麻醉药品、精神药品和易制毒化学品的规定。

为了防止麻醉药品、精神药品和易制毒化学品流入非法渠道，危害社会，本法明确规定，禁止非法生产、买卖、运输、储存、提供、持有、使用麻醉药品、精神药品和易制毒化学品，县级以上人民政府公安机关、药品监督管理部门、海关等有关部门，应当依照有关法律、行政法规的规定，在各自的职责范围内，加强对麻醉药品、精神药品和易制毒化学品的监督检查，严厉打击针对麻醉药品、精神药品和易制毒化学品的违法犯罪行为。

第二十二条　国家对麻醉药品、精神药品和易制毒化学品的进口、出口实行许可制度。国务院有关部门应当按照规定的职责，对进口、出口麻醉药品、精神药品和易制毒化学品依法进行管理。禁止走私麻醉药品、精神药品和易制毒化学品。

【释义】　本条是关于麻醉药品、精神药品和易制毒化学品进口、出口管理制度的规定。

近些年来,随着经济全球化和国际贸易的发展,国际间麻醉药品、精神药品和易制毒化学品的非法贸易活动也泛滥起来,许多国际制贩毒犯罪集团在国家间走私毒品,甚至建立起跨国的毒品运销网络,或者利用国际贸易的渠道获得易制毒化学品,用作加工制作毒品的原料和配剂。在这样的情况下,加强对麻醉药品、精神药品和易制毒化学品在国际贸易、流通环节的管制就成为了管制麻醉药品、精神药品和易制毒化学品,防止其流入非法渠道,遏制国际毒潮泛滥的重要环节。联合国《1961 年麻醉品单一公约》第二十四条、第三十条、第三十一条规定了对麻醉品国际贸易的管理措施,《1971 年精神药物公约》第十二条规定了对精神药物国际贸易的管理措施,1988 年通过的《联合国禁止非法贩运麻醉药品和精神药物公约》第十二条规定了对“经常用于非法制造麻醉药品和精神药物的物质”即易制毒化学品的国际贸易的管制措施。我国十分重视对麻醉药品、精神药品和易制毒化学品进口、出口的管理工作,在药品管理法、《麻醉药品和精神药品管理条例》、《易制毒化学品管理条例》等法律、行政法规和公安部、商务部、国家药监局等部门的规章中规定了一系列对麻醉药品、精神药品和易制毒化学品进口、出口的管理制度。本条规定再次明确了国家对麻醉药品、精神药品和易制毒化学品进口、出口工作实行许可制度和国务院有关部门在麻醉药品、精神药品和易制毒化学品进口、出口管理工作中的责任,体现了麻醉药品、精神药品和易制毒化学品进口、出口管理工作在国家禁毒工作全局中的重要地位，为有关部门进行这项管理工作提供了更加充分的法律依据。

1. 本条规定了国家对麻醉药品、精神药品和易制毒化学品的进口、出口实行许可制度。

"许可制度"是指行政许可制度，即有权的行政机关根据公民、法人或者其他组织的申请，经依法审查，准予其从事特定活动的制度。有关的法律、行政法规分别对麻醉药品、精神药品和易制毒化学品的进口、出口设定了行政许可。药品管理法第四十五条规定：进口、出口麻醉药品和国家规定范围内的精神药品，必须持有国务院药品监督管理部门发给的进口准许证、出口准许证。《易制毒化学品管理条例》第二条第一款规定：国家对易制毒化学品的生产、经营、购买、运输和进口、出口实行分类管理和许可制度。本条规定和上述规定共同构成对麻醉药品、精神药品和易制毒化学品进口、出口实行许可制度的法律依据，并把对易制毒化学品进口、出口实行许可制度的法律依据层级从行政法规提升为法律。未经许可从事麻醉药品、精神药品和易制毒化学品进口、出口的，将构成违法乃至犯罪行为。

2. 本条规定了国务院有关部门在麻醉药品、精神药品和易制毒化学品进口、出口管理工作中的责任，即国务院有关部门应当按照规定的职责，对进口、出口麻醉药品、精神药品和易制毒化学品依法进行管理。

麻醉药品、精神药品和易制毒化学品的进口、出口管理，有许多环节，涉及国务院多个部门。本条所称"规定的职责”，是指与麻醉药品、精神药品和易制毒化学品的进口、出口管理有关的法律、行政法规和规章规定的职责。具体来讲，包括本法和药品管理法等法律，《麻醉药品和精神药品管理条例》《易制毒化学品管理条例》等行政法规，《药品进口管理办法》《易制毒化学品进出口管理规定》《易制毒化学品进出口国际核查管理规定》等规章规定的职责。根据这些规定，对麻醉药品、精神药品进口、出口承担管理职责的是国务院药品监督管理部门和海关等部门。进（出）口麻醉药品、精神药品的单位，应当向国家药品监督管理部门提交麻醉药品、精神药品进（出）口申请表、进（出）口企业的企业法人营业执照等申请材料。国家药品监督管理部门进行审查后，决定予以许可的，向申请单位核发麻醉药品进（出）口准许证、精神药品进（出）口准许证。进（出）口单位持上述证件向海关办理麻醉药品、精神药品进（出）口手续，海关凭上述证件办理麻醉药品、精神药品的报关验放手续，并在验放时在相应进（出）口证件的指定位置签注盖章。对易制毒化学品进口、出口承担管理职责的是国务院商务主管部门、公安部门和海关等部门。进（出）口易制毒化学品的单位应当向国务院商务主管部门或者其委托的省、自治区、直辖市人民政府商务主管部门提交对外贸易经营者备案登记证明、营业执照副本、易制毒化学品生产、经营、购买许可证或者备案证明等申请材料。受理申请的商务主管部门进行审查，必要的时候还可以根据有关规定会同公安部门进行国际核查，决定予以许可的，向申请单位核发易制毒化学品进（出）口许可证。进（出）口单位持许可证向海关办理易制毒化学品进(出)口手续,海关凭许可证办理通关手续。

3. 本条还规定了禁止走私麻醉药品、精神药品和易制毒化学品。

“走私麻醉药品、精神药品和易制毒化学品”,是指违反国家法律、行政法规,逃避海关监管,非法运输、携带、邮寄麻醉药品、精神药品和易制毒化学品进出国(边)境的行为。走私麻醉药品、精神药品和易制毒化学品的行为,破坏国家对麻醉药品、精神药品和易制毒化学品的管理秩序和海关监管秩序,还可能对人民群众的身心健康造成极大损害,为国家法律所禁止。走私麻醉药品、精神药品和易制毒化学品,构成刑法规定的走私毒品等犯罪的,应当追究刑事责任。

第二十三条　发生麻醉药品、精神药品和易制毒化学品被盗、被抢、丢失或者其他流入非法渠道的情形,案发单位应当立即采取必要的控制措施,并立即向公安机关报告,同时依照规定向有关主管部门报告。

公安机关接到报告后,或者有证据证明麻醉药品、精神药品和易制毒化学品可能流入非法渠道的,应当及时开展调查,并可以对相关单位采取必要的控制措施。药品监督管理部门、卫生行政部门以及其他有关部门应当配合公安机关开展工作。

【释义】　本条是关于麻醉药品、精神药品和易制毒化学品流入非法渠道时如何处理的规定。共分为两款。

国家对合法用于医疗、科研、工农业生产等用途的麻醉药品、精神药品和易制毒化学品规定了严格的管制措施，在各个环节设立行政许可和监督检查制度，以防止其流入非法渠道。但实际情况非常复杂，不法分子的作案手段十分狡猾，生产、运输、使用等环节接触和管理麻醉药品、精神药品和易制毒化学品的工作人员可能出现工作疏漏，还存在许多可能导致流失的不确定因素。在发生这类事故的时候，如果有关部门和单位的应急反应迅速，措施严密，处理得当，就可能把事故造成的损失和对社会的危害降到最低的程度，如果反应不及时，处理不当，就很可能造成事故损失和危害的扩大。《麻醉药品和精神药品管理条例》《易制毒化学品管理条例》等行政法规和规章中就对发生麻醉药品、精神药品和易制毒化学品可能流入非法渠道时的应急处理作出了规定，本条的规定综合了有关行政法规和规章的规定，明确了发生这类事故时案发单位和有关政府部门的责任，为这类事故的应急处理工作提供了更充分的法律依据。

本条第一款是关于发生麻醉药品、精神药品和易制毒化学品流入非法渠道的事故时案发单位应急处理责任的规定。

案发单位是事故的当事方，而且往往首先知悉事故的发生，案发单位采取及时有效的应急处理措施是处理好事故的前提。国家对麻醉药品、精神药品和易制毒化学品规定了严格的管理制度，对麻醉药品和精神药品的实验研究、生产、经营、使用、储存、运输实行许可和查验制度。对易制毒化学品的生产、经营、购买、运输实行许可制度。未经有关部门许可从事上述活动的，都属于非法行为。本款规定的麻醉药品、精神药品和易制毒化学品流入非法渠道的情形主要包括被盗、被抢、丢失或者其他流入非法渠道的情形。“被盗”是指被不法分子秘密窃取。“被抢”是指被不法分子公然强行劫取或者夺取。“丢失”是指因有关人员保管不慎而遗失。“其他流入非法渠道的情形”是指除被盗、被抢、丢失以外的流入非法渠道的情形，如麻醉药品被骗购冒领等。在发生这些情形的时候，本条规定案发单位应当立即采取必要的控制措施，并立即向公安机关报告，同时依照规定向有关主管部门报告。“案发单位”是指合法拥有麻醉药品、精神药品和易制毒化学品，发生麻醉药品、精神药品和易制毒化学品流入非法渠道事故的单位，包括麻醉药品、精神药品的生产、加工企业、经营企业、运输企业，使用麻醉药品、精神药品的科研单位、医疗机构和易制毒化学品的生产企业、经营企业、使用单位等。“必要的控制措施”是指案发单位可以采取的减少事故损失、控制事故危害的必要措施，如对丢失药品的储存场所采取更加严格的保卫措施，对本单位所有的麻醉药品、精神药品进行清点检查，对了解事故情况的有关人员进行询问等。“规定”是指《麻醉药品和精神药品管理条例》《易制毒化学品管理条例》等法律法规和卫生、商务、安全生产等部门的规章。“有关主管部门”是指除公安机关外，依照有关规定对麻醉药品、精神药品和易制毒化学品负有监督管理职责的部门。对麻醉药品、精神药品负有监督管理职责的部门包括药品监督管理部门、卫生主管部门等，对易制毒化学品负有监督管理职责的部门包括药品监督管理部门、安全生产监督管理部门、商务主管部门、卫生主管部门等。本条之所以这样规定，是因为案发单位处在事故发生的第一线，他们采取好必要的控制措施，往往可以在第一时间控制事故的损失和危害。麻醉药品、精神药品和易制毒化学品流入非法渠道的事故，大多数涉及毒品违法犯罪活动，公安机关负责对毒品违法犯罪活动的查处打击，所以案发单位在事故发生时应该立即在采取必要的控制措施的同时报告公安机关。同时，药监、卫生、商务、安全生产等部门依照有关规定对麻醉药品、精神药品和易制毒化学品以及有关医疗机构、企业等负有监管职责，案发单位也应该将事故情况向他们报告。

本条第二款是关于发生麻醉药品、精神药品和易制毒化学品流入非法渠道时公安机关等政府部门职责的规定。

公安机关等部门对麻醉药品精神药品和易制毒化学品依法负有监督管理职责，发生流入非法渠道的事故时，各个部门各尽其责，协作配合，依法采取措施是处理好事故的关键。根据本款规定，公安机关负有查处麻醉药品、精神药品和易制毒化学品流入非法渠道事故的职责。案发单位或者有关当事人向公安机关报告事故情况后，公安机关应当立即对麻醉药品、精神药品和易制毒化学品是否流入非法渠道，流向何处，事故相关人员的责任等情况进行调查或侦查。“必要的控制措施”是指公安机关依照法律的规定为控制事故的损失、危害和进行调查，对有关场所、物品采取的控制措施，如对案发场所采取警戒措施，进行现场勘查，扣押涉案物品，收集相关证据等。药品监督管理部门、卫生行政部门等部门也负有在各自职责范围内对麻醉药品、精神药品和易制毒化学品进行监督管理的义务，本款也规定了他们在发生麻醉药品、精神药品和易制毒化学品可能流入非法渠道的事故时的职责，即配合公安机关开展工作。他们配合公安机关开展工作的方式可以是向公安机关提供本部门监管中了解的信息，为公安机关开展对本部门管理的单位的调查提供便利条件等。

第二十四条　禁止非法传授麻醉药品、精神药品和易制毒化学品的制造方法。公安机关接到举报或者发现非法传授麻醉药品、精神药品和易制毒化学品制造方法的，应当及时依法查处。

【释义】　本条是关于禁止非法传授麻醉药品、精神药品和易制毒化学品的制造方法的规定。

由于麻醉药品、精神药品和易制毒化学品的特殊性质，国家对麻醉药品、精神药品和易制毒化学品生产规定了严格的管制措施。国家对麻醉药品、精神药品的生产实行行政许可制度，企业必须具备法定的条件，经过药品监督管理部门审查批准，并依照药品管理法的规定取得药品批准文号，方可进行麻醉药品、精神药品的生产。科学研究机构开展麻醉药品、精神药品的实验研究，也需要具备法定的条件，经过国务院药品监督管理部门的批准。国家对易制毒化学品的生产实行分类管理和许可制度。按照目前有关规定，企业生产第一类易制毒化学品，需要具备法定的条件，并经过药品监督管理部门或者安全生产监督管理部门的批准。生产第二类、第三类易制毒化学品，应当向安全生产监督管理部门备案。违反上述规定，未经许可或备案制造麻醉药品、精神药品和易制毒化学品，是违法乃至犯罪的行为。制造麻醉药品、精神药品和易制毒化学品，是具有很强专业性的活动，需要许多化学、药学和工业方面的专业知识，还需要一些专业原料和设备。掌握了麻醉药品、精神药品和易制毒化学品制造方法的人，如果出于牟利或者其他非法目的，向从事非法制造麻醉药品、精神药品和易制毒化学品的不法分子非法传授麻醉药品、精神药品和易制毒化学品的制造方法，实际上是为毒品违法犯罪活动提供帮助，其性质是在传授犯罪方法，将给人民群众的身心健康带来极大的潜在威胁。因此，本条明确规定了国家禁止非法传授麻醉药品、精神药品和易制毒化学品制造方法和公安机关依法查处此种违法犯罪行为的职责。

所谓“非法”，是指违反国家法律、法规等规定向他人传授麻醉药品、精神药品和易制毒化学品的制造方法。有关单位和个人合法地向生产麻醉药品的员工进行麻醉药品生产方法的培训，或学校老师向学生讲授药品生产、化学品生产知识等行为，都是国家允许的。“传授”，是指以语言、文字、动作、图像或者其他方法，将麻醉药品、精神药品和易制毒化学品的制造方法教授给他人。“制造方法”的范围比较广泛，包括麻醉药品原植物的种植方法，麻醉药品、精神药品或者易制毒化学品的生产原料、生产设备、提取方法、加工方法、配方等，可以是全套的生产流程，也可以是生产过程中的某个步骤。

公安机关是承担打击毒品违法犯罪活动职责的部门，根据本条的规定，公安机关接到人民群众举报或者主动发现存在非法传授麻醉药品、精神药品和易制毒化学品制造方法活动的，应当及时依法予以查处，对构成犯罪的，应当依法予以打击。

第二十五条　麻醉药品、精神药品和易制毒化学品管理的具体办法，由国务院规定。

【释义】　本条是关于授权国务院规定麻醉药品、精神药品和易制毒化学品管理的具体办法的规定。

本章规定了国家对麻醉药品、精神药品和易制毒化学品进行管理的基本原则和基本制度，如对麻醉药品药用原植物进行管制，对麻醉药品和精神药品的实验研究、生产、经营、使用、储存、运输实行许可和查验制度，对易制毒化学品的生产、经营、购买、运输实行许可制度，对麻醉药品、精神药品和易制毒化学品的进口、出口实行许可制度等。但麻醉药品、精神药品和易制毒化学品的管理涉及很多环节，包括许多具体的内容，比如对麻醉药品、精神药品和易制毒化学品在生产、经营、使用、储存、运输、进口、出口等环节具体的管制措施，各种涉及麻醉药品、精神药品和易制毒化学品的违法行为的法律责任等。对于这些具体内容，本法不可能一一作出规定，因此，本条规定麻醉药品、精神药品和易制毒化学品管理的具体办法，由国务院规定。国务院在本法制定前，已经制定了《麻醉药品和精神药品管理条例》和《易制毒化学品管理条例》等麻醉药品、精神药品和易制毒化学品管理方面的行政法规。这些法规与本法的规定是一致的，在本法施行后继续有效。本法施行后，国务院还可以根据本法和实际情况完善现有规定或者制定新的规定。

第二十六条　公安机关根据查缉毒品的需要，可以在边境地区、交通要道、口岸以及飞机场、火车站、长途汽车站、码头对来往人员、物品、货物以及交通工具进行毒品和易制毒化学品检查，民航、铁路、交通部门应当予以配合。

海关应当依法加强对进出口岸的人员、物品、货物和运输工具的检查，防止走私毒品和易制毒化学品。

邮政企业应当依法加强对邮件的检查，防止邮寄毒品和非法邮寄易制毒化学品。

【释义】　本条是关于公安机关、海关、邮政企业等部门和单位依法进行毒品和易制毒化学品检查，防止有关毒品和易制毒化学品的违法犯罪活动的规定。共分为三款。

毒品犯罪活动的重要特点是具有极强的流动性和隐蔽性。就传统毒品而言，世界范围内大面积种植罂粟、古柯等毒品原植物并大规模生产海洛因、可卡因等毒品的地区主要集中在“金三角”“金新月”“银三角”等区域。各种新型毒品也都有相对固定的生产地区。制贩毒团伙需要把生产区域相对集中的毒品销售给遍布全世界的吸毒人员，还需要从各地把生产毒品所需要的各种原料和辅助配剂运输到其制毒工厂所在地。这样，他们就要通过各种途径，利用各种交通工具进行毒品和易制毒化学品的走私、非法运输活动。近些年来,随着经济全球化和交通、通讯技术的飞速发展,毒品和易制毒化学品的走私、非法运输活动也在世界范围内日渐猖獗。许多大的制贩毒集团构建起了跨地区、跨国的毒品和易制毒化学品运输、销售网络,长途走私、贩运毒品和易制毒化学品。我国西南、西北境外毗邻“金三角”“金新月”两大毒源地,境内外毒枭相互勾结,利用我国对外开放政策,通过公路、铁路、航空、水运、邮寄等多种方式向我国境内走私贩运大量毒品。毒品入境后,国内毒枭又通过各种方式,把毒品从边境地区贩运到内地,从集散地分销到各个地区。这些毒品和易制毒化学品走私、贩运活动成为毒品违法犯罪活动中关键的一环,给社会秩序和人民群众的身心健康带来了极大的危害。查处打击走私、非法运输毒品和易制毒化学品的违法犯罪活动,在贩运的途中堵住毒品和非法易制毒化学品,不让它们危害社会,就成为了与毒品违法犯罪活动作斗争的关键环节。公安机关作为打击毒品违法犯罪活动的职能部门,在查处和防止走私、非法运输毒品和易制毒化学品违法犯罪活动的工作中承担着重要的职责,也需要必要的执法手段。民航、铁路、交通、海关、邮政企业等部门和单位,管理着人员和货物、物品的流通渠道,对查处和防止走私、非法运输毒品和易制毒化学品违法犯罪活动也负有重要的责任。公安机关与上述部门和单位依法对经各种渠道流动的人员、物品进行检查,是发现和查处走私、非法运输毒品和易制毒化学品违法犯罪活动的基本手段。本条规定了公安机关和海关、邮政企业等部门和单位依法进行毒品和易制毒化学品检查的职责，为他们进行有关执法活动提供了法律依据。

本条第一款是关于公安机关在特定场所进行毒品和易制毒化学品检查，民航、铁路、交通部门予以配合的规定。

毒品违法犯罪分子走私、非法运输毒品和易制毒化学品，绝大多数都是采取各种方式将毒品和易制毒化学品隐藏、伪装后，经过公路、水运、铁路、民航等公共交通途径，利用汽车、轮船、火车、飞机等交通工具进行运输。包括让携带毒品、易制毒化学品的团伙成员或被雇用的人伪装成公共交通工具的乘客进行走私、非法运输活动，也包括自己驾驶汽车、轮船等交通工具通过公路、河道等进行走私、非法运输活动。机场、车站、码头等公共交通的人流、物流集散地，是走私、非法运输的毒品和易制毒化学品的必经之地，边境地区、口岸则是跨国走私的毒品、易制毒化学品的重要通道。在这些地方依法进行毒品和易制毒化学品的检查，很有可能发现走私、非法运输的毒品和易制毒化学品，抓获相关的违法犯罪行为人，防止他们走私、非法运输的毒品和易制毒化学品危害社会。本条规定了公安机关可以在这些特定的地区进行毒品和易制毒化学品检查。检查的主体包括各级公安机关和铁路、民航等各行业公安机关。检查可以与为保证公共交通工具安全而进行的安全检查一起进行，也可以分开进行，如民航的安全检查，就是一项综合性的检查，既检查是否携带枪支弹药、爆炸物、管制刀具等危险物品，也检查是否携带毒品。在一些毒品走私频繁的边境地区，有时对交通工具、乘客可以进行专门的毒品检查。民航、铁路、交通等部门是机场、火车站、长途汽车站、码头等场所的主管部门,公安机关在对上述场所进行毒品和易制毒化学品检查工作时,有关主管部门应当予以配合。

本条第二款是关于海关依法加强对进出口岸的人员、物品、货物和运输工具的检查的规定。

海关是国家的进出境监督管理机关,对发现和查处跨越我国国境的毒品和易制毒化学品走私活动负有重要的职责。根据海关法第六条第(一)、(二)项的规定,海关有权检查进出境运输工具,查验进出境货物、物品;对违反海关法或者其他有关法律、行政法规的,可以扣留。海关有权查阅进出境人员的证件;查问违反海关法或者其他有关法律、行政法规的嫌疑人,调查其违法行为。上述规定中的“其他法律、行政法规”,就包括本法及其他有关禁毒方面的法律、行政法规。本条的规定,明确了海关应当把防止走私毒品和易制毒化学品作为进出关检查工作的重要目标。海关检查的对象是进出口岸的人员、物品、货物和运输工具。这里的“货物”是贸易性的,“物品”是非贸易性的。“运输工具”是指用以载运人员、货物、物品进出境的各种船舶、车辆、航空器和驮畜等。《海关法》第二、三、四章分别规定了海关对进出口岸的运输工具、货物和物品进行检查的具体办法,海关应当依照这些规定,加强对进出口岸的人员、物品、货物和运输工具的检查力度,严防毒品和非法易制毒化学品进出我国国境。

本条第三款是关于邮政企业依法加强对邮件的检查的规定。

毒品违法犯罪分子为了达到走私、非法运输毒品和易制毒化学品的目的，运用各种手段，其中包括利用国际国内邮件邮寄毒品和易制毒化学品。公安机关在打击毒品违法犯罪活动的过程中多次查获过邮寄毒品和非法邮寄易制毒化学品的案件。邮政企业也负有防止不法分子邮寄毒品和非法邮寄易制毒化学品的责任。“邮政企业”是指经营邮政业务的公用企业。邮政法第二十一条规定，用户交寄邮件，必须遵守国务院有关主管部门关于禁止寄递物品、限量寄递物品的规定。第二十二条规定，用户交寄除信件以外的其他邮件，应当交邮政企业或者其分支机构当面验视内件。拒绝验视的，不予收寄。《邮政法实施细则》第三十三条、第三十四条规定了禁止寄递的物品的范围和邮政企业发现邮件中有禁止寄递物品的处理措施。根据上述规定，邮政企业有权对邮件进行检查，本条的规定明确了邮政企业应当依法加强对邮件的检查，把防止邮寄毒品和非法邮寄易制毒化学品作为邮件检查工作的重要目的。当然，邮政企业在对邮件进行检查时，应当依照宪法和有关法律的规定保护公民的通信自由和通信秘密。

第二十七条　娱乐场所应当建立巡查制度，发现娱乐场所内有毒品违法犯罪活动的，应当立即向公安机关报告。

【释义】　本条是关于娱乐场所建立巡查制度和报告场所内毒品违法犯罪活动义务的规定。

要有效地打击毒品违法犯罪活动，遏制毒品的泛滥，就必须加强对容易发生毒品违法犯罪活动的特定场所的管理。娱乐场所正是毒品违法犯罪行为集中多发、需要严格管理的场所。歌厅、舞厅、卡拉OK厅等娱乐场所，为人们提供了放松心情、娱乐身心的机会，活跃了人民群众的精神文化生活。但是近年来，娱乐场所也成为违法犯罪活动的多发地，在一些娱乐场所中，吸毒、贩毒活动猖獗，不法分子在娱乐场所中公然出售毒品，引诱青少年吸食冰毒、摇头丸、K粉等新型毒品的现象时有发生。而一些娱乐场所的经营者，在经济利益的驱动下，对场所内的毒品违法犯罪活动不闻不问、放任自流，甚至与吸贩毒人员勾结，为他们从事毒品违法犯罪活动提供条件。这些娱乐场所内的毒品违法犯罪活动，扰乱了娱乐场所的正常经营，影响了公共场所的治安秩序，也给人民群众的身心健康带来极大的危害。特别是一些缺乏毒品危害知识的青少年，以为冰毒、摇头丸等新型毒品没有海洛因那样的毒性，偶尔吸食只是娱乐消遣，结果深陷毒瘾不能自拔，身心受到严重的摧残。打击娱乐场所内的毒品违法犯罪活动，成为禁毒斗争的重要一环。娱乐场所的经营者，对防范本场所内的毒品违法犯罪活动责无旁贷。《娱乐场所管理条例》第三十一条规定，娱乐场所应当建立巡查制度，发现娱乐场所内有违法犯罪活动的，应当立即向所在地县级公安部门、县级人民政府文化主管部门报告。本法作为禁毒工作的专门法，从防范毒品违法犯罪活动的角度，进一步明确了娱乐场所建立巡查制度和报告场所内毒品违法犯罪活动的义务。

这里讲的“娱乐场所”，是指以营利为目的，向公众开放、消费者自娱自乐的歌舞、游艺等场所，包括歌厅、舞厅、卡拉

OK 厅等以人际交谊为主的场所和电子游戏厅、台球厅等依靠游艺器械的经营场所。“巡查制度”是娱乐场所建立的，由专人负责，定时定期对本场所内情况进行巡回检查和监督的制度。巡查制度对确保娱乐场所的安全与合法经营，防止和及时发现包括毒品违法犯罪活动在内的违法犯罪活动具有重要的意义。娱乐场所的经营者应根据本场所的实际情况，建立人员相对固定的巡查小组，落实巡查的方式和具体任务。巡查人员应当熟悉本场所的情况，具有一定的法律知识。巡查人员在巡查中发现违法犯罪活动或者可疑人员、行为的，应当立即报告娱乐场所的负责人或者直接报告公安机关。

第二十八条　对依法查获的毒品，吸食、注射毒品的用具，毒品违法犯罪的非法所得及其收益，以及直接用于实施毒品违法犯罪行为的本人所有的工具、设备、资金，应当收缴，依照规定处理。

【释义】 本条是关于被依法查获的毒品和涉毒财物收缴与处理的规定。

公安机关在办理涉毒违法犯罪案件时，除抓获违法犯罪嫌疑人外，还会查获毒品和涉毒财物，如吸食、注射毒品的用具，毒品违法犯罪所得及其收益，用于实施毒品违法犯罪行为的本人所有的工具、设备、资金等。对毒品及涉毒财物的处理，是打击毒品违法犯罪活动的一个重要方面，必须严格依法办事，防止出现违法乱纪甚至腐败问题。本条对于处理这些财物的方式作了原则规定，刑事诉讼法、治安管理处罚法等有关法律和一些办案部门对收缴和处理违法犯罪的涉案财物问题已有一系列具体规定,公安机关等办案机关在办理毒品违法犯罪案件时,必须严格按照这些规定执行,不能擅自违法处理,不能对该收缴的财物不收缴,或者对不该收缴的财物予以收缴,更不能截留使用或者擅自变卖、私分。

本条规定涉及的被依法查获的物品包括四类。第一类是毒品。第二类是吸食、注射毒品的用具,是指吸毒人员用来吸食、注射毒品的烟具、注射器等用具。第三类是毒品违法犯罪的非法所得及其收益。“毒品违法犯罪的非法所得”,是指违法犯罪分子因为实施毒品违法犯罪行为所非法获得的财物,如贩卖毒品所得的资金,运输毒品所得的报酬,容留贩毒人员在娱乐场所进行贩毒活动所得的抽头,非法传授麻醉药品、精神药品制造方法所得的报酬等。“收益”是指利用毒品违法犯罪的非法所得所产生的孳息或者进行经营活动所产生的经济利益,如将毒资存入银行所获利息,用毒资购买股票、基金所获红利,用毒资开办公司所获盈利等。第四类是直接用于实施毒品违法犯罪行为的本人所有的工具、设备、资金。这类物品有两个限制条件:一是“直接用于实施毒品违法犯罪行为”,即对于实施毒品违法犯罪行为起到必不可少的作用并直接引起、导致危害后果发生,如贩毒分子将运输工具进行改装,设置不易被发觉的夹层、暗箱,以逃避检查,这种运输工具就属于直接用于毒品违法犯罪行为的工具、设备等;二是“本人所有”,即违法犯罪行为人本人所有,而非他人所有,如有的人借用他人车辆进行贩毒,出借人并不知情,只以为朋友借车用一下,这种情况下不能因为贩毒人使用了车辆就把该车辆予以没收。本条作出这样的限制,主要是为了防止在执法活动中任意扩大收缴的范围,侵害一些与违法犯罪行为并无直接关系的人的利益。“工具、设备”主要是指毒品违法犯罪活动中使用的机器、装备,如提炼海洛因或生产加工冰毒用的各种机器装备等。“资金”包括毒品违法犯罪行为人用于购买毒品、制毒设备的资金等。本条规定对上述毒品和涉毒财物应当收缴,依照规定处理。

刑法、刑事诉讼法、治安管理处罚法等法律和行政法规、司法解释、规章对涉及刑事案件和治安案件的财物的处理办法作出了明确的规定,对于本条规定的四类物品,公安机关等办案机关在依法收缴之后,应当依照这些规定分别予以处理。如国务院对于收缴的毒品明确规定:“公安机关收缴毒品一律销毁。”根据这一规定,公安机关对收缴的毒品应当一律销毁,不得留存,也不得转作药用。对于吸食、注射毒品的用具,根据《公安机关办理行政案件程序规定》第一百六十二条的规定,应当一律予以销毁。对于毒品违法犯罪的非法所得及其收益,刑法第六十四条规定,“犯罪分子违法所得的一切财物,应当予以追缴或者责令退赔”;“没收的财物和罚金,一律上缴国库,不得挪用和自行处理”。刑事诉讼法第一百九十八条规定,“公安机关、人民检察院和人民法院对于扣押、冻结犯罪嫌疑人、被告人的财物及其孳息,应当妥善保管,以供核查。任何单位和个人不得挪用或者自行处理”;“对作为证据使用的实物应当随案移送,对不宜移送的,应当将其清单、照片或者其他证明文件随案移送”；“人民法院作出的判决生效以后，对被扣押、冻结的赃款赃物及其孳息，除依法返还被害人的以外，一律没收，上缴国库”。治安管理处罚法第十一条规定：“违反治安管理所得的财物，追缴退还被侵害人；没有被侵害人的，登记造册，公开拍卖或者按照国家有关规定处理，所得款项上缴国库。”根据上述规定，对于毒品犯罪的非法所得及其收益，应当由公安机关依法扣押、冻结并妥善保管，需要作为证据使用的随案移送，待人民法院判决生效后，一律没收，上缴国库。对于不构成犯罪的涉毒违法行为的非法所得及其收益，应当由公安机关登记造册，公开拍卖或者按照国家有关规定处理，所得款项上缴国库。对于直接用于实施毒品违法犯罪行为的本人所有的工具、设备、资金，刑法第六十四条规定，供犯罪所用的本人财物，应当予以没收。治安管理处罚法第十一条规定，直接用于实施违反治安管理行为的本人所有的工具，应当收缴，按照规定处理。

第二十九条　反洗钱行政主管部门应当依法加强对可疑毒品犯罪资金的监测。反洗钱行政主管部门和其他依法负有反洗钱监督管理职责的部门、机构发现涉嫌毒品犯罪的资金流动情况，应当及时向侦查机关报告，并配合侦查机关做好侦查、调查工作。

【释义】　本条是关于反洗钱行政主管部门等有关单位加强对可疑毒品犯罪资金监测的规定。

毒品犯罪不仅严重危害公众身心健康,也是犯罪分子大肆掠夺社会财富的一种手段,与毒品交易伴随的是大量的资金流动以及交易后的洗钱活动。因此,加大毒品犯罪的反洗钱力度,对于及时阻断毒品交易,有效预防和减少毒品违法犯罪,保护国家资金安全具有重要意义。1988 年《联合国禁止非法贩运麻醉药品和精神药物公约》及我国刑法第一百九十一条,都将毒品规定为洗钱犯罪的上游犯罪。在禁毒法中对涉嫌毒品犯罪的资金监测、报告,以及反洗钱行政主管部门和其他依法负有反洗钱监督管理职责的部门、机构配合侦查机关侦查、调查的义务作出进一步规定,对加强毒品犯罪监测,侦破毒品犯罪案件具有重大意义。

(一)本条规定了反洗钱行政主管部门依法加强对可疑毒品犯罪资金监测的义务

根据反洗钱法第八条的规定,国务院反洗钱行政主管部门组织、协调全国的反洗钱工作,负责反洗钱的资金监测,制定或者会同国务院有关金融监督管理机构制定金融机构反洗钱规章,监督、检查金融机构履行反洗钱义务的情况,在职责范围内调查可以交易活动,履行法律和国务院规定的有关反洗钱的其他职责。国务院反洗钱行政主管部门的派出机构在国务院反洗钱行政主管部门的授权范围内,对金融机构履行反洗钱义务的情况进行监督、检查。根据本条的规定,可疑毒品犯罪资金的监测,也是反洗钱行政主管部门的重要职责。这里规定的可疑毒品犯罪资金,不仅包括毒品犯罪非法所得、由非法所得获得的收益等,也应当包括可能用于毒品犯罪的资金。

（二）本条规定了对可疑毒品犯罪资金流动情况的报告义务

根据反洗钱法第十三条的规定，反洗钱行政主管部门和其他依法负有反洗钱监督管理职责的部门、机构发现涉嫌洗钱犯罪的交易活动，应当及时向侦查机关报告。第二十条规定，金融机构应当按照规定执行大额交易和可疑交易报告制度。金融机构办理的单笔交易或者在规定期限内累计交易超过规定金额或者发现可疑交易的，应当及时向反洗钱信息中心报告。为了加强涉毒犯罪资金流动监测，根据本条规定，反洗钱行政主管部门和其他负有反洗钱管理职责的部门，要及时向侦查机关报告涉嫌毒品犯罪的资金流动情况，包括已经确认属于毒品交易的资金以及经甄别可能用于毒品犯罪的资金。

（三）配合侦查机关的侦查、调查的义务

刑事诉讼法第四十五条规定，人民法院、人民检察院和公安机关有权向有关单位和个人收集、调取证据。有关单位和个人应当如实提供证据。反洗钱法第二十三条规定，金融机构应当对调查予以配合，如实提供有关文件和资料。第二十四条规定，调查可疑交易活动，可以询问金融机构有关人员，要求其说明情况。本条进一步规定，对于侦查机关的侦查、调查，反洗钱行政主管部门和其他依法负有反洗钱监督管理职责的部门、机构，应当配合。

第三十条　国家建立健全毒品监测和禁毒信息系统，开展毒品监测和禁毒信息的收集、分析、使用、交流工作。

【释义】　本条是关于毒品监测和禁毒信息收集、分析、使用和交流的规定。

禁毒信息工作是禁毒工作中的重要环节，是指以公开、秘密手段及其他方法获得与毒品有关的一切情况，并运用科学的方法进行分析研究，整理综合及利用计算机网络系统进行储存、分析、检索、传递、管理和提供咨询服务的过程总称。建立健全毒品监测和禁毒信息系统意义重大。由于毒品犯罪和吸毒行为日益呈现社会化、网络化、更加隐秘的特点，准确、全面的禁毒情报信息工作，可以广泛搜集及分析研究毒品违法犯罪的活动情况，把握其发展规律，预测其发展趋势，不仅对于专项禁毒侦查和打击行动，也为从整体上掌控和部署禁毒工作，掌握禁毒斗争主动权提供依据。再者，禁毒工作是一个包括禁种、禁制、禁贩、禁吸，四禁并举，综合治理，全社会参与的综合工程，单纯在禁毒、戒毒等领域的各自为战很难收到明显的禁毒成效，建立健全禁毒信息系统，把各个领域的信息进行综合，有利于整合全社会的力量，合理配置社会资源，在打击毒品犯罪的同时，加强麻醉药品、精神药品的管理，加强戒毒工作的力度。

国家有关部门一直重视禁毒信息的收集、整理、分析、保存、交流和运用工作，目前已经建立一些禁毒信息收集、分析、使用的制度。比如，公安部禁毒局与清华紫光公司联合开发了禁毒信息管理系统，为禁毒信息提供了一个很好的收集、整理、分析、共享平台。药品监督管理部门也建立了麻醉药品和精神药品生产、运输、销售、库存等的网络信息监控和报告制度。但是,我国的禁毒情报信息系统建设仍然存在需要完善和健全的地方。进一步加强禁毒情报信息工作,建立以情报信息系统为中心的打击毒品违法犯罪的监测和信息系统,对于提高禁毒水平具有重要意义。

第四章 戒毒措施

第三十一条 国家采取各种措施帮助吸毒人员戒除毒瘾，教育和挽救吸毒人员。

吸毒成瘾人员应当进行戒毒治疗。

吸毒成瘾的认定办法，由国务院卫生行政部门、药品监督管理部门、公安部门规定。

【释义】 本条是关于吸毒成瘾人员进行戒毒治疗的规定。共分为三款。

帮助吸毒人员戒除毒瘾，教育和挽救吸毒人员，是我国戒毒工作的基本方针。这一方针是基于对吸毒行为性质和打击毒品的政策考虑确定的。首先，吸毒不仅是一种违法行为，更是一种疾病。虽然吸毒人员因好奇、无知等原因而沾染毒瘾，但是一旦成瘾，毒品的生理和心理依赖就会表现为一种不可抗拒的力量，强制吸食者连续使用该药，并且不择手段地去获得它，并逐渐加大剂量，无论什么兴趣、爱好都难以使毒瘾转移，一旦停止吸毒，生理上就会出现戒断症状，对身心健康造成极大的损害，甚至危及生命安全。从这一角度来看，吸毒人员不仅是害人者，更是被害者。单纯的处罚，已不可能让吸毒人员戒除毒瘾，过分强调吸毒的违法性，还容易使吸毒人员产生被社会遗弃的感觉,消极敌视甚至抵制戒毒。其次,吸毒人员是毒品市场的消费者,吸毒人员的需求决定了毒品的生产和贩卖。毒品犯罪分子不仅靠吸毒人员对毒品的需求获得高额收益,也通过不断制造新的吸毒人员扩大市场需求。因此,降低毒品非法需求是禁毒战略的重要方面。它一方面是针对非吸毒者或吸毒高危人群,致力于预防和减少新的吸毒发生,另一方面也通过早期筛查对吸毒者采取有效的戒毒治疗和身心康复等综合干预措施,使之及早停止吸毒行为,减少社会对毒品的需求,萎缩毒品需求市场。因此,我国一直把禁吸戒毒作为禁毒的重要突破口。2006 年我国发布《中国的禁毒》白皮书提出,为了保护公民身心健康,维护社会治安秩序,最终消除毒品危害,中国政府高度重视并大力开展禁吸戒毒工作,采取强制戒毒与社区戒毒相结合的综合戒毒治疗康复措施,努力教育挽救吸毒人员。

本条第一款规定了国家禁毒工作总的方针和目标,即帮助吸毒人员戒除毒瘾,教育和挽救吸毒人员。

教育和挽救吸毒人员,是一项复杂的系统工程,需要采取综合措施。对吸毒人员的治疗、教育和挽救,具体可以分为生理断瘾、体能康复、心理戒毒、回归社会四个方面,其中生理断瘾和体能康复是前提和基础,虽然比较困难,但还是一个比较短的过程,心理戒毒和回归社会则是个必须长期坚持的过程,也是巩固戒毒成果的一个必要条件。吸毒人员以正常的身心状态回归社会,成为社会的一名正常成员,是戒毒的根本目的,也是戒毒成功的最终标志。具体分析,包括以下几个方面：

1. 治疗。就是通过用药等医疗措施帮助戒毒人员戒除毒瘾。戒毒治疗是让吸毒者回归社会，恢复正常生活的前提。本法规定了自愿戒毒、社区戒毒和强制隔离戒毒等戒毒治疗措施。对在家庭和社会的监督下有决心、有毅力戒毒，可以通过家庭和社会的监督保证较强的约束力和持久性的吸毒人员，国家鼓励其自愿戒毒，主动到医疗机构进行戒毒治疗，或者在社区戒毒。对通过自愿戒毒和社区戒毒不能戒除毒瘾的人员，可以对其进行强制隔离戒毒。无论采取何种方式，戒毒治疗始终需要坚持的一个中心理念就是将吸毒人员视为病人。因此，强制隔离戒毒虽然对戒毒人员的人身自由进行限制，甚至采取适当的身体强制措施，但是，这些措施都只是出于保障治疗顺利进行的目的。而且，对于那些短期内无法戒除毒瘾或者因为各种原因导致不能戒除毒瘾的，根据有关规定也可以使用药物替代治疗，以成瘾性较小的药物，比如美沙酮代替毒品，通过逐步减少剂量的方法，使吸毒者逐步摆脱毒瘾。

2. 教育和挽救。所谓教育和挽救，就是使吸毒人员建立正确的世界观、人生观，恢复自尊自信以及正常的生产、生活能力，回归正常社会生活。

首先，要加强生理和心理康复工作，使吸毒人员恢复健康的体魄和正常的心理。这也可以视为广义的戒毒治疗的一部分。一般来说，戒除生理依赖后的生理和心理康复，实际上也是戒毒后康复和帮教工作的重要内容。吸毒人员普遍体质虚弱，体能较差。同时，这些人自我控制能力不强，对戒除毒瘾、恢复正常的生活缺乏信心。为了使其尽早以正常状态回归社会，就应当帮助其进行体能康复训练，让他们参加一些体力劳动和体育锻炼，并逐步增加强度，最终使其恢复到正常人的体能状态。同时，要对其进行适当的心理康复训练，鼓励其戒毒的决心和勇气，使他们放弃漠视社会、漠视人生，甚至自暴自弃的思想，增强自信心，将戒毒持之以恒，坚持到底；同时唤起吸毒者对个人、家庭及社会的责任，增强其家庭观念、社会观念，使其认识到自己对家庭的重要性和对社会的有用价值，感受到亲情的温暖，感受到社会的关爱，从内心里激发对家庭、对社会的责任感，增强拒毒的自觉性。

其次，还要加强对吸毒人员的社会教育，使其能够适应社会正常生活。吸毒者最初染毒的原因很复杂，有的是因为好奇或者贪图享乐，有的是因为生活、事业、健康等出现问题，有的则是因为不良嗜好或者交友不慎。要彻底巩固戒毒成果，就要帮助戒毒者改变其嗜好，树立上进、自立、勤劳，守法爱己，乐于付出，有益于社会的观念。为了防止其接触吸毒环境，重蹈覆辙，就要使他们断绝与昔日“毒友”的来往。各类社会帮教组织、戒毒志愿工作者要不失时机地在第一时间介入，实现朋友替代和交际群替代，使吸毒者在远离毒品的人群中生活，各方面得到正面的引导，社会行为受到一定的制约，逐步培养起正确的人生观、价值观、交友观，增强自律能力，最终成为能够完全自控，彻底远离毒品的人。

再次，还要加强其学习和工作技能教育。大多数吸毒人员劳动技能很差，没有专长，在社会上谋生困难，经过戒毒治疗后，由于谋不到像样的职业，无法自立，不能养活自己，很容易与游手好闲者为伍，做社会的“寄生虫”，通过不正当手段获取钱物，往往走上重新吸毒或违法犯罪的道路。挽救吸毒人员，就要帮助他们提高劳动技能，为其培训一两门技术，靠社会的帮助增长其劳动技能，谋到一份正常的职业，使其能自力更生，自给自足，能担当起养家糊口的家庭责任，远离高危环境。

本条第二款规定吸毒成瘾人员应当进行戒毒治疗。

这一规定可以从以下两个方面理解：一是国家应当对吸毒成瘾人员进行戒毒治疗。国家应当为吸毒人员提供一定的医疗条件，法律也规定了社区戒毒和强制隔离戒毒等戒毒措施，通过这些措施帮助吸毒人员戒除毒瘾。本法第五十条还规定，公安机关、司法行政部门对被依法拘留、逮捕、收监执行刑罚以及被依法采取强制性教育措施的吸毒人员，应当给予必要的戒毒治疗。二是吸毒人员的康复意愿和配合对治疗效果也具有重要的作用。因此，国家鼓励吸毒人员主动治疗。比如，本法第六十二条规定，吸毒人员主动到公安机关登记或者到有资质的医疗机构接受戒毒治疗的，不予处罚。对于在强制隔离戒毒期间配合治疗，遵守规定，戒毒效果良好的人员，也可以缩短戒毒的期限。

总之，戒毒工作应当以治疗、教育、挽救吸毒人员为目的，而不是单纯惩罚了事。要真正达到教育、挽救吸毒人员的目标，需要结合吸毒人员、家庭、社会的力量，采取多种手段加强对吸毒人员的监督和制约，综合行政组织、社会力量等资源对戒毒人员进行有效的监督和帮助，在加强社会约束的同时，提高遵守法律法规的自觉性，在帮助其戒除生理毒瘾的同时，帮助其恢复正常的心理和社会生活能力，回归社会。

本条第三款是授权有关部门制定吸毒成瘾认定办法的规定。

戒毒工作的基础是吸毒成瘾的认定。吸毒成瘾首先是个医学问题，需要专门的知识和技术才能认定。对于这样的问题，应由有关部门制定专业技术标准。目前，有关部门已经制定了认定吸毒成瘾的一些规定，比如国家药品监督管理局、卫生部对海洛因、苯丙胺类、阿片类等毒品的成瘾认定有具体认定标准的规定；公安机关根据戒毒工作的经验，根据检测结果、吸食次数等也对吸毒成瘾的认定作了规定。这些都为吸毒成瘾的认定积累了丰富的经验。为了使吸毒成瘾标准既符合科学规律，又符合禁毒工作的实际需要，本法没有对吸毒成瘾的标准直接作出规定，而是规定由卫生行政部门、药品监督管理部门、公安部门作出规定。在禁毒法通过后，这些部门应当根据本法的授权，尽快对已有的吸毒成瘾的认定标准进一步完善后作出规定，保障禁毒和戒毒工作的顺利进行。

第三十二条　公安机关可以对涉嫌吸毒的人员进行必要的检测，被检测人员应当予以配合；对拒绝接受检测的，经县级以上人民政府公安机关或者其派出机构负责人批准，可以强制检测。

公安机关应当对吸毒人员进行登记。

【释义】 本条是对吸毒人员进行检测和登记的规定。共分为两款。

本条第一款是对涉嫌吸毒人员进行检测的规定。

长期的禁吸戒毒工作经验表明,及时发现并确认吸毒人员是禁毒斗争和戒毒工作的重要一环。但由于无论在道德上还是法律上,吸毒都受到社会的否定,因此吸毒一般都是采取比较隐蔽的方式,在被发现以后,也不愿意承认。不过,由于毒品能够改变人体的生物特性,通过医学检测一般可以直接对是否存在吸毒行为作出认定。所以,在执法过程中,对涉嫌吸毒人员进行医学检测,是确定其是否吸毒的重要方式。通过医学检测确定是否吸毒,也是严格执法的要求。规定对涉嫌吸毒人员进行检测,既可以防止执法人员判断失误或者滥用职权,也有利于保护公民的名誉权、自由权、身体健康权。对这一款的规定,可以从以下几个方面进行理解:

1. 进行吸毒检测应当遵守法律规定的条件和程序。公安机关在进行吸毒检测时,应当遵守本条的规定。

首先,应当有一定的证据或者迹象表明被检测人涉嫌吸食、注射毒品。比如公安人员在执法中发现被检测人正在吸食毒品或者持有毒品;被检测人身上带有或者住处发现毒品或者疑似用于吸食、注射毒品的用具,如沾有毒品的注射器、锡箔纸等;正在从事毒品违法犯罪行为,如贩毒、制毒、运输、购买毒品等行为的;被发现与吸毒人员在一起,有可能吸毒的迹象的;进行其他身体检查的时候,发现身体上有注射毒品的痕迹,或者有疑似吸毒成瘾症状等。如果公安机关在执法中发现这些情况,怀疑当事人可能吸毒的,可以决定进行吸毒检测。

其次,检测是确定是否吸毒所必需的。吸毒检测的目的只是为了迅速而准确地界定吸毒人员,将其从普通人群中区分出来,进行必要的治疗和帮助。因此,检测的项目应当限制在确定是否吸毒的必要的范围内。一般来说,现在的吸毒通过尿样检查基本就可以确定,不需要再作其他项目的检查。如果有其他科学的检测技术,也可以运用其他方式进行检测。规定检测限制在必要的范围内,可以使公安机关迅速确定被检测人是否吸毒,保证检测的时效性,也有利于节约资源和保护被检测人的隐私等权利。

再次,检测应当由具有资格的人员进行。检测是一种生物医学活动,通过生物医学等手段所确定的尿样等样本的严重生物特异性变化(阳性)确定是否吸毒。所以,吸毒检测应当由专门的人员进行。这些人员,既可以是医疗机构的医疗人员,也可以是经过吸毒检测培训的公安机关的鉴定人员。

2. 被检测人员的配合义务

在公安机关决定对涉嫌吸毒的人员进行检测的时候,被检测人员应当配合。这里的配合,包括被检测人员根据公安人员的规定,到指定的地点,比如公安机关或者其他检测机构进行检测;按照检测人员的指令,作出规定的行为,如提供尿样、服药等,在检测人员提取检测样本的时候不予阻挠或者抗拒;如实回答检测人员的提问,以便于检测人员确定饮食、服药等方面是否存在可能影响检测结果准确性的因素，谨慎地作出判断等。

3. 对于拒绝检测的，公安机关可以进行强制检测

强制检测是指采取限制被检测人的行动自由，使其无法抗拒检测的行为。比如，公安人员对于发现的可能吸食、注射毒品的人员，认为需要进行吸毒检测而拒绝到检测场所；在检测人员提取尿样的时候进行反抗，抗拒检测等，使检测无法进行的，公安人员可以决定采取强制检测，也就是采取身体约束措施，以便能够顺利完成采集检测样本等检测活动。根据本法规定，进行强制检测，必须经县级以上人民政府公安机关或者其派出机构负责人批准。这里规定的“派出机构”主要是指公安机关的派出所。这样规定，主要是考虑到提取尿样等活动，涉及公民的身体健康权、隐私权等权利，为了防止公安人员滥用权力造成对公民权利的损害，本法作出这一规定。如果执法人员认为需要进行强制检测的，应当先向县级以上公安机关或者其派出机构的负责人提出申请，经批准后再进行强制检测，并在强制检测时向被检测人告知已经得到批准的情况。

本条第二款是公安机关对吸毒人员进行登记的规定。

联合国《1961 年麻醉品单一公约》和《1971 年精神药物公约》规定，各成员国要对麻醉药品和精神药品实行严格管制，并对麻醉药品滥用情况进行监测。我国公安机关一直在进行吸毒人员登记工作。卫生部门也一直在进行针对药物滥用成瘾者的监测和登记工作，对因为医疗造成的，或者在医疗

过程中发现的药物成瘾者进行登记、追踪和治疗。对吸毒人员的登记和统计,可以分析、预测本地区的毒品消费情况,从而对一定时期,一定区域,甚至全国范围内的制毒、贩毒情况作出预测,制定相应的应对办法。对吸毒人员进行登记,建立较为全面、翔实的档案,也便于长期追踪吸毒人员的戒毒、学习、工作、生活等情况,为在不同地区合理分配戒毒资源,调配药物等提供决策依据。此外,对吸毒人员进行登记也具有流行病学的意义,可以通过登记资料分析吸毒者的身体健康状况,研究吸毒人员患艾滋病、性病等的情况,采取相应的预防措施,为进行艾滋病和其他传染病防治、戒毒治疗、药物维持治疗等提供相应的依据。

第三十三条　对吸毒成瘾人员,公安机关可以责令其接受社区戒毒,同时通知吸毒人员户籍所在地或者现居住地的城市街道办事处、乡镇人民政府。社区戒毒的期限为三年。

戒毒人员应当在户籍所在地接受社区戒毒;在户籍所在地以外的现居住地有固定住所的,可以在现居住地接受社区戒毒。

【释义】　本条是关于社区戒毒以及戒毒人员在户籍所在地或者现居住地接受社区戒毒的规定。共分为两款。

社区戒毒是禁毒法规定的新的戒毒措施。近年来,为了提高戒毒的效果,有关部门和机构学习其他国家的先进经验,开展社区戒毒工作的试点,比如在北京推行的向日葵社区、云南推行的雨露社区等,主要针对强制戒毒后的戒毒人员,在回归社会后再进行一定时期的帮助教育工作,并给予就业指导和帮助,取得了很好的效果。在禁毒法制定的过程中,有关方面建议借鉴一些国家的有效做法,总结戒毒工作的经验,对社区戒毒作出规定。本法在总结一些地方戒毒工作经验的基础上,在规定强制性戒毒措施之外,规定了社区戒毒,并将试点工作中主要针对强制性戒毒后的社区戒毒,发展为一种实行强制隔离戒毒前就可以进行的戒毒措施。这也是对过去长期实行的以封闭戒毒方法为主的戒毒模式的改进。

本条第一款对社区戒毒作出了基本规定,包括社区戒毒的条件、决定机关、期限,以及公安机关通知城市街道办事处、乡镇人民政府的义务。

1. 社区戒毒的条件。根据本款规定,吸毒成瘾的人员,公安机关可以责令其进行社区戒毒。所谓吸毒成瘾,是指吸毒人员对毒品产生依赖。表现为在心理上、精神上驱使吸毒者具有一种周期性或连续性吸毒的欲望,不惜一切代价获取和吸食毒品,无论什么兴趣、爱好、刺激都难以使毒瘾转移。而在生理上需要反复使用毒品,一旦停止,生理上就会出现戒断症状。而且对毒品产生不同程度的耐受性,导致吸毒人员不断提高吸毒量,加速对身心的损耗。对于那些虽然吸食毒品,但没有达到成瘾程度的人员,比如,一些初次吸毒或者吸食低毒性毒品没有形成毒瘾的人,可以只给予治安管理处罚,不进行戒毒治疗。

2. 社区戒毒的决定机关。根据本法的规定,社区戒毒由公安机关决定。长期以来,公安机关一直负责缉毒、强制戒毒工作,负责吸毒人员的检测和登记。由公安机关在综合考虑如何才能充分发挥教育、挽救效果的基础上,确定采取何种戒毒措施,可以提高戒毒的成效,也可以提高办案的效率。

3.通知城市街道办事处和乡镇人民政府的义务。社区戒毒是将吸毒人员放在其生活的社区,由有关基层组织和机构进行戒毒管理的一种戒毒模式。根据本法第三十四条的规定,城市街道办事处或者乡镇人民政府是社区戒毒工作的主体,具体负责社区戒毒工作。包括落实有针对性的社区戒毒措施,负责监督管理,提供心理咨询,为无职业且缺乏就业能力的戒毒人员提供必要的职业技能培训、就业指导和就业援助等。在作出责令社区戒毒的决定时,同时通知城市街道办事处或者乡镇人民政府,才能完成决定与执行的衔接工作。本条第二款规定,戒毒人员应当在户籍所在地接受社区戒毒;在户籍所在地以外的现居住地有固定住所的,也可以在现居住地接受社区戒毒。根据该规定,公安机关可以通知户籍所在地或者有固定住所的现居住地的城市街道办事处或乡镇人民政府。

4.社区戒毒的期限为三年。之所以规定为三年,是根据戒毒的一般规律和特点确定的。从医学的角度来看,在进行戒毒之后的半个月至一个月左右,就可以基本消除戒断症状,在戒毒治疗六个月左右,即可完全消除生理依赖。但是,要戒除精神依赖,却需要更长的时间。有研究表明,大消除生理依赖后,如果不继续给予必要的约束,复吸的可能性很大。有些国家统计表明,在三年内复吸率可达85~90%。所以,在消除生理依赖以后，不是放任不管，而是继续给予干预，是防止复吸的重要环节。这些干预措施包括定期进行监测、给予心理辅导、加强监督、强化就业和生活方面的救助、要求继续遵守行为准则等。综合考虑各种因素，各方面认为确定三年的社区戒毒期限既符合戒毒的医学规律，也可以强化社会对戒毒的管理和救助。

本条第二款是关于在户籍所在地或有固定住所的现居住地戒毒的规定。

对于戒毒的执行地，应当本着既有利于社区戒毒管理，又不妨碍戒毒人员正常生活、学习的原则进行。根据我国现行的社会管理制度，公民在户籍所在地可以享受到入学、就业、医疗、民政、劳动和社会保障等各方面的政策。而且，户籍所在地的街道办事处或乡镇人民政府对吸毒人员较为熟悉，便于进行管理，因此社区戒毒在户籍所在地执行较为适宜。但随着人口的流动日益频繁，外出就业、经营、求学、工作的越来越多，为了不影响戒毒人员正常的生活、工作和学习，本法同时规定可以在现居住地执行。在现居住地执行社区戒毒，应当有固定的住所。这里的固定住所，不仅指自己的住房，也包括自己可以长期稳定居住的亲友家中或者租住的房屋等。规定有固定的住所才能在现居住地进行社区戒毒，是为了保证吸毒人员不脱离社区，保证社区戒毒有效进行。

第三十四条　城市街道办事处、乡镇人民政府负责社区戒毒工作。城市街道办事处、乡镇人民政府可以指定有关基

层组织，根据戒毒人员本人和家庭情况，与戒毒人员签订社区戒毒协议，落实有针对性的社区戒毒措施。公安机关和司法行政、卫生行政、民政等部门应当对社区戒毒工作提供指导和协助。

城市街道办事处、乡镇人民政府，以及县级人民政府劳动行政部门对无职业且缺乏就业能力的戒毒人员，应当提供必要的职业技能培训、就业指导和就业援助。

【释义】 本条是关于基层政权和有关机构落实社区戒毒措施及为戒毒人员提供必要的职业技能培训、就业指导和就业援助的规定。共分为两款。

本条第一款是关于基层政权和有关机构落实社区戒毒措施的规定。

1. 社区戒毒的执行主体是城市街道办事处和乡镇人民政府。这样确定社区戒毒的执行机关，一方面考虑到社区戒毒措施是一项综合的戒毒措施，既包括对吸毒人员进行的戒毒治疗，也包括在戒毒过程中对吸毒人员进行的帮教，是让其重新恢复身体健康，重新树立自尊、自信，重新学习生活和工作技能，并重新获得力所能及的工作的综合过程，由政府的某个具体职能部门很难协调各方面的工作。另一方面，也考虑到城市街道办事处、乡镇人民政府是我国的基层政权，对社区的情况比较熟悉，由其进行社区戒毒的管理工作比较便利。将社区戒毒的执行机关确定为城市街道办事处、乡镇人民政府，由基层政府综合协调公安、劳动、民政、司法行政等部门的具体工作，既有利于节约执行资源，也有利于保障戒毒工作的实效。但是在具体的执行工作中，城市街道办事处、乡镇人民政府可以指定有关基层组织落实具体的社区戒毒措施。

2. 执行机关和戒毒人员应当签订社区戒毒协议。社区戒毒协议是执行机关指定基层组织与戒毒人员签订的协议，用以确定社区戒毒具体措施和社区戒毒人员的义务，比如定期检测、服药、汇报戒毒情况、进行戒毒知识学习，参加生理、心理康复训练项目等。协议既有要求戒毒人员切实履行各项义务的规定，也有要求社区戒毒执行机关保证这些措施的落实，为戒毒人员提供必要的支持、协助和指导的内容。在签订协议的时候，基层组织要充分考虑吸毒者本人及其家庭的情况，做到既保证戒毒的效果，又不影响戒毒人员正常的生活、学习、工作，将内容规定得灵活一些。比如，对于定期检验、服药和参加生理、心理康复训练项目等，虽然必须作出规定，但可根据戒毒人员的身体状况、工作时间等灵活安排检测、服药的时间及参加的训练项目等。

3. 为了保证社区戒毒的切实执行，公安机关和司法行政、卫生行政、民政等部门应当对社区戒毒工作提供指导和协助。社区戒毒并不是单纯的提供戒毒服务，还要采取措施保证戒毒人员切实履行协议内容，以及处理生活、医疗等很多方面的事务，比如对违反社区戒毒规定的处理、社区戒毒人员的生活保障、戒毒药物的发放、定期检测的进行、对吸毒人员患传染病的预防、吸毒人员的就业和入学等。为了保证这些事项能够顺利执行，本法规定了与这些工作关系较为密切的几个部门提供指导和协助的义务。

对于这些部门提供指导和协助的义务，国家禁毒委员会2000年12月《国家禁毒委员会成员单位主要职责》中有原则规定。比如，公安部负责组织、指导、监督毒品预防教育、禁吸戒毒等，确保戒毒人员遵守有关社区戒毒规定，及时处理违反社区戒毒协议的情况；卫生部要加强戒毒药物的管理和发放工作，协助执行机关定期进行检测，积极开展生理和心理的咨询，协助开办有关戒毒康复训练项目，对经吸毒引起的传染性疾病依法进行治疗和监督管理，对戒毒治疗工作提供业务指导和技术服务；民政部门要加强基层政权和社区建设工作，促进戒毒工作的落实，救济符合社会救济条件、家庭人均收入低于当地最低生活保障标准的戒毒人员及其家属，加强对禁毒社团的管理，支持其依法开展工作，协助公安机关对被收容人员进行禁毒、戒毒宣传教育，并对其中的吸毒、贩毒人员做好审查、移交工作；司法部也要结合已经开展的社区矫正工作，积极做好有关工作。这些部门，应当根据上述规定和有关法律法规切实履行指导和协助的职责。为了使社区戒毒工作人员能够切实掌握工作的各项技能，各部门在做好指导和协助工作的同时，也可以对基层政权和基层组织负责社区戒毒工作的人员进行相关的培训。

本条第二款是关于基层政权和有关机构为戒毒人员提供必要的职业技能培训、就业指导和就业援助的规定。

很多吸毒人员是因为在生活、学习、家庭、就业等方面遇到困难，一筹莫展而吸毒的，这些问题也是戒毒后复吸的重要诱因。因此，在禁毒法制定过程中，各方面都要求加强戒毒人员康复后的社会帮教工作，比如就业、入学、社会保障等，增强戒毒人员的谋生能力。为此，本法规定基层政权和县级以上劳动行政部门对无职业且缺乏就业能力的戒毒人员，应当提供必要的职业技能培训、就业指导和就业援助。比如，举办技能培训项目、为就业提供信息、向用人单位推荐等，甚至可以举办一些经营单位，吸纳戒毒人员工作，解决其就业和生活困难。

第三十五条　接受社区戒毒的戒毒人员应当遵守法律、法规，自觉履行社区戒毒协议，并根据公安机关的要求，定期接受检测。

对违反社区戒毒协议的戒毒人员，参与社区戒毒的工作人员应当进行批评、教育；对严重违反社区戒毒协议或者在社区戒毒期间又吸食、注射毒品的，应当及时向公安机关报告。

【释义】　本条是关于社区戒毒人员的义务及违反义务如何处理的规定。共分为两款。

本条第一款是社区戒毒人员应当遵守的义务的规定。根据本条，社区戒毒人员应当遵守如下规定：

1. 遵守法律、法规。为了保证社区戒毒取得良好的效果，戒毒人员应当遵守有关法律法规，特别是不得违反法律、法规有关禁毒、戒毒的相关规定，比如不得违反刑法、治安管理处罚法的规定从事毒品违法犯罪行为，不得违反有关麻醉药品、精神药品管制的规定，不得违反禁毒法有关禁毒的管制措施，不得再吸食、注射毒品等。

2. 自觉履行社区戒毒协议。社区戒毒协议只有依靠社区戒毒人员自觉履行,才能取得良好的戒毒效果。对于社区戒毒协议的内容,戒毒人员应当采取积极的态度,主动配合和履行,比如,按时到指定的地点服药、积极参加社区举办的戒毒心理、行为康复的训练项目等。

3. 根据公安机关的要求,定期接受检测。社区戒毒的基本目标是防止吸毒人员复吸。定期检测对于确定是否复吸是最基本、也是最有效的方式。因此,本法特别规定,社区戒毒人员在社区戒毒期间要定期接受检测。社区戒毒执行机关要把定期接受检测作为社区戒毒协议的一项重要内容加以规定和落实。对于检测的时间间隔,可以由公安机关根据吸毒成瘾以及戒毒进展的情况确定。比如,对于吸毒成瘾严重的,可以确定相对较短的检测时间间隔;在社区戒毒的初期,检测时间间隔可以短一些,以后随着戒毒的进展,可以适当放宽检测的时间间隔。

本条第二款是关于社区戒毒人员违反社区戒毒协议如何处理的规定。

对于违反社区戒毒协议的戒毒人员,本条规定应当进行批评、教育。批评、教育的中心是针对社区戒毒人员违反戒毒协议的原因和程度,让其切实理解违反社区戒毒协议的后果和责任,心悦诚服地改正错误。应当注意的是,社区戒毒的主要目的是帮助吸毒人员戒除毒瘾,恢复身心健康和正常的社会生活,因此在批评、教育时要注意讲究方式方法,要理解吸毒给他造成的痛苦和伤害,只要能够让其明白吸毒的危害,从而愧疚并决心改过即可，不宜简单地把批评、教育作为督促他们戒毒的日常工作手段。对于严重违反社区戒毒协议或者在社区戒毒期间又吸食、注射毒品的人员，根据本法第三十八条的规定，应当由公安机关作出强制隔离戒毒的决定，送交强制隔离戒毒机构。应当注意的是，在执行中对什么是“严重违反社区戒毒协议”应当严格把握，不宜把一般的违反协议的行为作为进行强制隔离戒毒的理由，如有的戒毒人员偶尔没有参加协议项目或者偶尔没有按时检测等。社区戒毒的最终目的是防止戒毒人员再次吸毒，只有在严重违反协议极有可能导致其再次吸毒或者不宜再进行社区戒毒的情况下，对其进行强制隔离戒毒才有意义。社区戒毒工作人员发现戒毒人员有严重违反戒毒协议情形的，应当根据本条规定及时向公安机关报告，由公安机关进行处理。

第三十六条　吸毒人员可以自行到具有戒毒治疗资质的医疗机构接受戒毒治疗。

设置戒毒医疗机构或者医疗机构从事戒毒治疗业务的，应当符合国务院卫生行政部门规定的条件，报所在地的省、自治区、直辖市人民政府卫生行政部门批准，并报同级公安机关备案。戒毒治疗应当遵守国务院卫生行政部门制定的戒毒治疗规范，接受卫生行政部门的监督检查。

戒毒治疗不得以营利为目的。戒毒治疗的药品、医疗器械和治疗方法不得做广告。戒毒治疗收取费用的，应当按照省、自治区、直辖市人民政府价格主管部门会同卫生行政部门

制定的收费标准执行。

【释义】 本条是关于吸毒人员自愿戒毒、设置戒毒医疗机构或者医疗机构从事戒毒治疗业务的条件的规定以及戒毒治疗禁则和收费的规定。共分为三款。

本条第一款是关于吸毒人员可以自行到具有戒毒治疗资质的医疗机构接受戒毒治疗的规定。

1. 吸毒人员可以自行到具有戒毒治疗资质的医疗机构接受戒毒治疗,进行自愿戒毒。吸毒人员是毒品的受害者,往往也是疾病患者。吸毒人员自行到具有戒毒治疗资质的医疗机构接受戒毒治疗,表明吸毒人员自己有戒断毒瘾的决心和愿望;不仅可以缓解强制性戒毒的压力,也有利于减少国家开支。自愿戒毒方式的对象包括未被公安机关发现的吸毒人员,出于保护个人隐私而异地戒毒治疗的吸毒人员,以及在社区戒毒的吸毒人员。吸毒人员在接受自愿戒毒治疗期间,有关部门不得以吸毒成瘾为由对吸毒人员实行强制隔离戒毒。

2. 吸毒人员只能到具有戒毒治疗资质的医疗机构戒毒,不具有戒毒治疗资质的医疗机构不得进行戒毒治疗。戒毒治疗是一项专业性较强的医疗技术,从事戒毒治疗业务的医疗机构需要具有戒毒治疗资质。“具有戒毒治疗资质的医疗机构”是指本条第二款规定的符合国务院卫生行政部门规定的条件,并经所在地的省、自治区、直辖市人民政府卫生行政部门批准,并报同级公安机关备案的医疗机构。

本条第二款是关于设置戒毒医疗机构或者医疗机构从事戒毒治疗业务的条件的规定。包括三个方面的要求:

1. 设置戒毒医疗机构或者医疗机构从事戒毒治疗业务应当符合国务院卫生行政部门规定的条件。戒毒治疗是专门性的医学技术，不是所有的医疗机构都具备戒毒治疗的条件，因此，法律规定，设置戒毒医疗机构或者医疗机构从事戒毒治疗业务的，应当符合国务院卫生行政部门规定的条件。卫生部于 1996 年发布了《关于加强戒毒医疗机构管理工作的通知》及其附件《戒毒医疗机构验收标准》，对戒毒医疗机构选址、戒毒医疗机构的卫生技术人员和其他工作人员的配备、戒毒医疗机构应具备的功能与条件、戒毒医疗机构管理与制度等方面进行了规范，作了明确的规定。

2. 设置戒毒医疗机构或者医疗机构从事戒毒治疗业务的，应当报所在地的省、自治区、直辖市人民政府卫生行政部门批准，并报同级公安机关备案。批准和备案程序是由戒毒医疗机构、从事戒毒治疗业务的医疗机构的性质所决定的，有利于有关部门全面了解和掌握我国的医疗戒毒资源。根据本法第六十六条的规定，未经批准，擅自从事戒毒治疗业务的，由卫生行政部门责令停止违法业务活动，没收违法所得和使用的药品、医疗器械等物品；构成犯罪的，依法追究刑事责任。

3. 戒毒治疗应当遵守国务院卫生行政部门制定的戒毒治疗规范，接受卫生行政部门的监督检查。根据本条规定，国务院卫生行政部门应当就戒毒医疗机构、医疗机构从事戒毒治疗业务的条件、戒毒治疗规范作出具体规定。

本条第三款是关于戒毒治疗不得以营利为目的和不得做广告，以及收费标准的规定。

1. 戒毒治疗不得以营利为目的。戒毒治疗是一项特殊的医疗业务，其目的是戒毒治疗，是治病，不能以营利为目的。戒毒治疗的收益应当用于发展戒毒治疗事业本身，不得用于分红。

2. 戒毒治疗的药品、医疗器械和治疗方法不得做广告。广告法第十六条规定，麻醉药品、精神药品、毒性药品、放射性药品等特殊药品，不得做广告。本条进一步明确规定，戒毒治疗的药品、医疗器械和治疗方法不得做广告。

3. 关于戒毒治疗收费问题。本条对有关戒毒治疗费用的规定，包含两层意思：一是戒毒医疗机构、从事戒毒治疗业务的医疗机构可以根据当地情况和自身条件实行免费戒毒治疗，也可以收取一定费用；二是戒毒医疗机构、从事戒毒治疗业务的医疗机构如果对戒毒治疗收取费用，应当按照"收费标准"执行，不得以任何形式擅自提高收费标准。法律授权"收费标准"由省、自治区、直辖市人民政府价格主管部门会同卫生行政部门制定。有关省、自治区、直辖市人民政府价格主管部门应当根据本条规定，会同本级卫生行政部门及时制定戒毒治疗的收费标准。

第三十七条　医疗机构根据戒毒治疗的需要，可以对接受戒毒治疗的戒毒人员进行身体和所携带物品的检查；对在治疗期间有人身危险的，可以采取必要的临时保护性约束措施。

发现接受戒毒治疗的戒毒人员在治疗期间吸食、注射毒品的，医疗机构应当及时向公安机关报告。

【释义】 本条是关于医疗机构可以对接受戒毒治疗的人员采取特定措施和履行报告义务的规定。共分为两款。

本条第一款是关于医疗机构可以对接受戒毒治疗的人员采取特定措施的规定。

1. 有关医疗机构可以对接受戒毒治疗的戒毒人员进行身体和所携带物品的检查，以了解掌握接受戒毒治疗的戒毒人员的身体状况及毒品依赖程度，并防止有些戒毒人员携带违禁品特别是毒品进入医疗机构，破坏戒毒医疗机构的管理秩序，对戒毒治疗造成不利影响。戒毒医疗机构一旦发现接受戒毒治疗的戒毒人员携带毒品，应当根据本条第二款的规定，及时向公安机关报告。

2. 医疗机构对在戒毒治疗期间有人身危险的戒毒人员，可以采取必要的临时保护性约束措施。戒毒人员因吸毒对毒品产生生理依赖，特别在戒毒治疗的初期，即急性脱毒阶段，可能会出现一些危及自身或者他人人身安全的情况。一方面，有些吸毒人员在出现戒断症状时不能控制自己的行为，医学上称为强制性觅药行为，即明知吸毒有害，仍不顾一切后果去寻找药物，是自我失去控制的表现。另一方面，有些吸毒人员还出现精神病症状，如出现幻觉、妄想或者表现出明显的暴力、伤害倾向，尤其是在吸食 K 粉、摇头丸等新型毒品的吸毒人员身上。因此，在治疗期间，为避免发生戒毒人员危及自身安全或者危及他人人身安全的行为，规定临时保护性约束措施是必要的。这不是对戒毒人员的一种处罚，也不是通常所说的强制措施，而是带有强制约束性质的临时性保护措施，主要目的是为了保护戒毒人员和其他人员的安全，避免造成人身危险。这里规定的“有人身危险”包括可能对戒毒人员自身安全造成危险或者对他人人身安全造成危险。“临时保护性约束措施”是指在治疗期间，对接受戒毒治疗的有人身危险的戒毒人员，医疗机构采取的以保护人身安全为目的的临时性约束措施。约束程度以使其不再具有危害公共安全或者人身安全的危险性为适当程度。要实施正确、有效的约束，禁止使用粗暴、野蛮，甚至伤害戒毒人员身体的手段。由于这项约束措施关系到限制人身自由，执行不好会发生问题，甚至发生侵犯公民人身权利的事情，因此执行时应当注意：一是严格掌握适用的对象、范围，不得随意使用；二是要从保护的目的出发，必须遵循有利原则、无伤原则和适当原则，只能有利于病人而尽量避免对病人造成伤害。

需要明确的是，戒毒人员自愿选择在医疗机构接受戒毒治疗，就有义务配合医疗机构进行治疗，包括配合检查，接受必要的临时保护性约束措施等。

按照本条第二款的规定，发现接受戒毒治疗的戒毒人员在治疗期间吸食、注射毒品的，有关戒毒医疗机构应当及时向公安机关报告。本款有两层含义：一是需要向公安机关报告的内容是戒毒人员在治疗期间吸食、注射毒品的情况。戒毒人员在治疗期间吸食、注射毒品的，可能有多种原因所致，有的本来就不是真心想戒毒，只是利用这种方式逃避公安机关的打击；有的由于戒毒过程中的反复，忍不住毒瘾发作偶尔吸食、注射毒品。无论是哪种情况，只要戒毒人员在治疗期间吸食、注射毒品的，有关戒毒医疗机构都应当向公安机关报告。当然，戒毒人员在治疗期间根据戒毒需要按照有关规定接受药物替代维持治疗的，不属于吸食、注射毒品，也就不属于需要报告的情形。二是要及时报告。医疗机构发现戒毒人员在治疗期间吸食、注射毒品的，要及时报告公安机关。及时报告有助于医疗机构戒毒工作的顺利开展；有助于公安机关及时了解情况，区别情况解决问题，及时消除个别复吸人员对戒毒治疗工作造成的不良影响。公安机关可以根据不同原因导致复吸的情况，作出不同的处理。对真心想戒毒，偶尔忍不住毒瘾发作而吸食、注射毒品的，可给予批评教育，由戒毒人员继续自愿选择医疗机构戒毒治疗。对于不是真心戒毒，只是利用这种方式逃避公安机关打击的，医疗机构戒毒治疗方式对其戒毒没有产生效果，公安机关可以适用强制隔离戒毒的方式。

第三十八条　吸毒成瘾人员有下列情形之一的，由县级以上人民政府公安机关作出强制隔离戒毒的决定：

（一）拒绝接受社区戒毒的；

（二）在社区戒毒期间吸食、注射毒品的；

（三）严重违反社区戒毒协议的；

（四）经社区戒毒、强制隔离戒毒后再次吸食、注射毒品的。

对于吸毒成瘾严重，通过社区戒毒难以戒除毒瘾的人员，公安机关可以直接作出强制隔离戒毒的决定。

吸毒成瘾人员自愿接受强制隔离戒毒的，经公安机关同意，可以进入强制隔离戒毒场所戒毒。

【释义】 本条是关于强制隔离戒毒适用条件的规定。共分为三款。

本条所规定的强制隔离戒毒措施，是在总结我国多年戒毒实践经验的基础上，对原来的强制戒毒和劳动教养戒毒措施进行整合、改革而设立的新的强制性戒毒措施。我国现行的戒毒体制包括强制戒毒和劳动教养戒毒两种措施。1990年12月全国人大常委会《关于禁毒的决定》第八条规定，吸食、注射毒品成瘾的，予以强制戒除，进行治疗、教育；强制戒除后又吸食、注射毒品的，可以实行劳动教养，并在劳动教养中强制戒除。根据这一决定和国家有关规定，强制戒毒由公安机关决定，强制戒毒机构由公安部门主管，对象主要是第一次吸毒成瘾者；劳动教养戒毒由劳动教养委员会决定，戒毒场所由司法行政部门主管。这一戒毒体制多年来对于遏制毒品蔓延，挽救大批身陷毒海的吸毒人员发挥了重大作用，但也暴露出一些不足，主要是：将完整的戒毒过程分为由公安机关和司法行政部门分别负责实施和管理的两个阶段，不利于戒毒资源的统筹配置和合理使用；现行三个月至六个月的强制戒毒基本上达不到戒除毒瘾的效果，对大多数复吸人员仍要进行二三年的劳教戒毒。因此，从整合戒毒资源、提高戒毒效果考虑，应对现行的强制戒毒和劳动教养戒毒体制进行改革。本法实施后，原强制戒毒和劳动教养戒毒将统一改为强制隔离戒毒。

本条第一款是关于强制隔离戒毒决定机关和适用条件的规定。

1. 强制隔离戒毒的决定由县级以上人民政府公安机关作出。公安派出所在执法活动中发现有吸毒成瘾人员符合强制隔离戒毒条件的,应当报县级以上人民政府公安机关作出强制隔离戒毒决定。

2. 强制隔离戒毒的对象是吸毒成瘾人员。这是决定强制隔离戒毒的前提条件。对于初次吸毒或者吸食低毒性毒品未成瘾的人员,不应适用强制隔离戒毒。根据本法第三十一条第三款的规定,吸毒成瘾的认定办法,由国务院卫生行政部门、药品监督管理部门、公安部门规定。

3. 对吸毒成瘾人员决定强制隔离戒毒,需符合四项法定情形之一:(1)拒绝接受社区戒毒的;(2)在社区戒毒期间吸食、注射毒品的;(3)严重违反社区戒毒协议的;(4)在社区戒毒、强制隔离戒毒后再次吸食、注射毒品的。社区戒毒是本法规定的一种新的戒毒方式,对于初次发现的吸毒成瘾人员,一般应首先由公安机关责令其接受社区戒毒,只有对于拒绝接受社区戒毒或者经社区戒毒达不到应有效果的,才需要进行强制隔离戒毒。本款规定的四种情形都属于这种情况。

本条第二款是关于公安机关可以对吸毒成瘾严重、通过社区戒毒难以戒除毒瘾的人员,直接作出强制隔离戒毒决定的规定。

在一般情况下,社区戒毒是强制隔离戒毒的前提,但实践中也存在一些需要直接决定强制隔离戒毒的特殊情况,本款对这种特殊情况规定了两个条件:一是吸毒成瘾严重。对于吸毒成瘾不太严重,通过社区戒毒有可能戒除毒瘾的,应当适用社区戒毒措施;二是通过社区戒毒难以戒除毒瘾。对于这一点,要综合考虑其吸毒成瘾的严重程度、本人戒毒的意愿和自行戒毒的经历、本人工作情况和家庭社会环境等因素来确定。法律授权公安机关可以直接作出强制隔离戒毒决定,也是对社会和吸毒成瘾严重人员进行保护的需要。但实践中要注意把握好上述两个条件,防止对权力的滥用。

本条第三款是关于吸毒成瘾人员可以自愿接受强制隔离戒毒的规定。

在实践中,有的吸毒成瘾人员虽有戒毒的愿望和意识,但他们觉得自身没有毅力坚持下来,希望通过强有力的外力督促和约束来达到戒毒目的,而强制隔离戒毒场所有较好的治疗设备、专业人员、戒毒经验和必要的环境,因此有些吸毒成瘾人员愿意直接进入强制隔离戒毒场所进行戒毒。同意吸毒成瘾人员自愿进行强制隔离戒毒,有利于充分利用好、发挥好强制隔离戒毒场所在戒毒工作中的作用。因此,本款规定,吸毒成瘾人员自愿接受强制隔离戒毒的,经公安机关同意,可以直接进入强制隔离戒毒场所戒毒。对自愿要求强制隔离戒毒的吸毒成瘾人员,一旦同意其进行强制隔离戒毒,就应当依法按照强制隔离戒毒的有关规定对其进行戒毒治疗。

第三十九条　怀孕或者正在哺乳自己不满一周岁婴儿的妇女吸毒成瘾的,不适用强制隔离戒毒。不满十六周岁的未

成年人吸毒成瘾的，可以不适用强制隔离戒毒。

对依照前款规定不适用强制隔离戒毒的吸毒成瘾人员，依照本法规定进行社区戒毒，由负责社区戒毒工作的城市街道办事处、乡镇人民政府加强帮助、教育和监督，督促落实社区戒毒措施。

【释义】 本条是关于对特定对象不适用强制隔离戒毒的规定。共分为两款。

本条第一款是关于对特定对象不适用强制隔离戒毒的规定。包括两种情况：

1. 对怀孕或者正在哺乳自己不满一周岁婴儿的妇女吸毒成瘾的，一律不适用强制隔离戒毒。强制隔离戒毒是一种限制人身自由期限较长的戒毒措施，婴儿在哺乳期对母亲具有生理与精神的双重需求，妇女在怀孕期及哺乳期也需要特殊的保护。这两类人员不适宜在强制隔离戒毒场所进行强制性戒毒。

2. 对不满十六周岁的未成年人吸毒成瘾的，可以不适用强制隔离戒毒。对不满十六周岁的未成年人，一般不应适用强制隔离戒毒，但也不能一概而论。对那些因父母和其他监护人确实无力帮助其戒毒，采取社区戒毒措施又无效的吸毒成瘾的未成年人，对其进行强制隔离戒毒，使其在与毒品隔绝的环境中接受有针对性的戒毒治疗，这对帮助其戒除毒瘾更为有效，家庭和社会也都支持。为此，本法对不满十六周岁的未成年人吸毒成瘾的，作出了“可以”不适用强制隔离戒毒的灵活的规定，由公安机关根据实际情况具体掌握。

本条第二款是关于对不适用强制隔离戒毒的吸毒成瘾人员加强社区戒毒的规定。对依照本条第一款规定不适用强制隔离戒毒的吸毒成瘾人员，不是放任不管，而是应当将这类吸毒成瘾人员作为社区戒毒的重点对象，由负责社区戒毒工作的城市街道办事处、乡镇人民政府加强帮助、教育和监督，督促落实社区戒毒措施。

第四十条　公安机关对吸毒成瘾人员决定予以强制隔离戒毒的，应当制作强制隔离戒毒决定书，在执行强制隔离戒毒前送达被决定人，并在送达后二十四小时以内通知被决定人的家属、所在单位和户籍所在地公安派出所；被决定人不讲真实姓名、住址，身份不明的，公安机关应当自查清其身份后通知。

被决定人对公安机关作出的强制隔离戒毒决定不服的，可以依法申请行政复议或者提起行政诉讼。

【释义】　本条是关于公安机关作出强制隔离戒毒的决定程序和被决定人对强制隔离戒毒决定不服的救济措施的规定。共分为两款。

本条第一款是关于强制隔离戒毒决定书制作、送达、通知的规定。

1. 强制隔离戒毒决定书是公安机关对吸毒成瘾人员作出强制隔离戒毒决定、要求其接受强制隔离戒毒的法定形式，即公安机关的强制隔离戒毒决定必须以书面形式作出，不得采取口头方式。

2. 公安机关应当在将强制隔离戒毒人员送强制隔离场所执行强制隔离戒毒前，将强制隔离戒毒决定书送达被决定人。送达决定书是决定书发生法律效力的前提，是执行强制隔离戒毒措施前的必经程序。没有送达决定书给被决定人的，就不能对其执行强制隔离戒毒。

3. 依照本条规定，公安机关应当在强制隔离戒毒决定书送达后二十四小时以内将决定书内容通知被决定人的家属、所在单位和户籍所在地公安派出所；被决定人不讲真实姓名、住址，身份不明的，公安机关应当自查清其身份后通知。强制隔离戒毒涉及较长时间限制被决定人的人身自由，规定公安机关的及时通知义务，是保护被决定人权利的必要措施。

本条第二款是关于被决定人对强制隔离戒毒决定不服的救济措施的规定。

1. 被决定人对强制隔离戒毒决定不服的，可以依法申请行政复议。这里讲的“依法”，是指依照行政复议法的规定。全国人大常委会 1999 年制定的行政复议法，对行政复议的申请、受理和决定等作了具体规定。

2. 被决定人对强制隔离戒毒决定不服的，也可以依法直接向人民法院提起行政诉讼。这里讲的“依法”，是指依照行政诉讼法的规定。全国人大 1989 年制定的行政诉讼法，对行政诉讼程序作了具体规定。

第四十一条　对被决定予以强制隔离戒毒的人员，由作出决定的公安机关送强制隔离戒毒场所执行。

强制隔离戒毒场所的设置、管理体制和经费保障，由国务院规定。

【释义】 本条是关于强制隔离戒毒送交执行的有关规定。共分为两款。

本条第一款是关于强制隔离戒毒人员送交执行的规定。根据本款规定，对被决定予以强制隔离戒毒的人员，由作出决定的公安机关送强制隔离戒毒场所执行。依照这一规定，将被决定强制隔离戒毒的人员送交强制隔离戒毒场所的执行主体，是作出决定的公安机关。“作出决定的公安机关”，是指依照本法第三十八条的规定，有权作出强制隔离戒毒决定的县级以上人民政府公安机关。

本条第二款授权国务院对强制隔离戒毒场所的设置、管理体制和经费保障作出具体规定。强制隔离戒毒是在总结多年来强制戒毒、劳教戒毒经验基础上，改革原来分阶段戒毒体制，重新构建的一种强制戒毒体制。这项改革还需要进一步总结实践经验，确定具体方案，有步骤地推行。因此，本法只对强制隔离戒毒措施的主要方面，包括适用对象、期限、入所检查、强制隔离戒毒方法、戒毒人员的权利等作出规定，而有关强制隔离戒毒场所的设置、管理体制和经费保障问题，授权国务院根据本法和实际情况作出规定，比较妥当。

第四十二条　戒毒人员进入强制隔离戒毒场所戒毒时，应当接受对其身体和所携带物品的检查。

【释义】 本条是关于戒毒人员应当接受入所检查的

规定。

对身体和所携带物品的检查，涉及公民基本权利，如隐私权、人格尊严等，应当由法律规定。本条共规定了两个方面的内容：

1. 强制隔离戒毒场所有权对进入强制隔离戒毒场所戒毒的人员进行身体和所携带物品的检查。强制隔离戒毒场所对入所戒毒人员进行"身体"检查，主要是为了确认戒毒人员的某些身体特征、生理状态以及毒品依赖程度等，以便采取有针对性的治疗等措施。对入所戒毒人员"所携带物品"进行检查，主要是为了防止入所戒毒人员携带违禁品特别是毒品进入强制隔离戒毒场所，破坏强制隔离戒毒场所的管理秩序。

2. 戒毒人员在进入强制隔离戒毒场所戒毒时，有义务接受对其身体和所携带物品的检查。本条所说的"戒毒人员"是指符合强制隔离戒毒条件由公安机关决定强制隔离戒毒的人员，还包括经公安机关同意，自愿进入强制隔离戒毒场所戒毒的人员。本条规定既适用于第一次进入强制隔离戒毒场所戒毒时，也适用于戒毒人员经批准外出探视后返回强制隔离戒毒场所的时候，即戒毒人员每次进入强制隔离戒毒场所的时候，都要接受检查，特别是对所携带物品的检查。

第四十三条　强制隔离戒毒场所应当根据戒毒人员吸食、注射毒品的种类及成瘾程度等，对戒毒人员进行有针对性的生理、心理治疗和身体康复训练。

根据戒毒的需要，强制隔离戒毒场所可以组织戒毒人员

参加必要的生产劳动，对戒毒人员进行职业技能培训。组织戒毒人员参加生产劳动的，应当支付劳动报酬。

【释义】 本条是关于强制隔离戒毒治疗、康复训练、生产劳动、技能培训的规定。共分为两款。

本条第一款是关于强制隔离戒毒场所对戒毒人员进行戒毒治疗、康复训练的规定。

对戒毒人员进行有针对性的戒毒治疗和康复训练，是强制隔离戒毒的重要内容。对于吸毒成瘾者的治疗，国内外已经有了一些比较成熟的经验，我国对常见毒品也有了戒毒的治疗规范。针对不同的麻醉药品和精神药品，戒毒的治疗规范有所不同。根据国际上的通行做法，戒毒治疗一般分为三个阶段：一是急性脱毒阶段，二是心理康复治疗阶段，三是回归社会阶段。戒毒的这三个阶段不能脱节，要形成“无缝衔接”，否则很难达到戒毒效果。戒毒人员在强制隔离戒毒期间，都需要经过急性脱毒和心理康复治疗这两个阶段。在强制隔离戒毒场所做好这两个阶段的戒毒工作，通过严格管理、完全阻断毒品的来源、强化戒毒效果，对于戒毒人员回归社会后巩固戒毒成果具有重要意义。本款规定包括三层含义：

1. 强制隔离戒毒场所应当根据戒毒人员吸食、注射毒品的种类及成瘾程度，进行有针对性的治疗和康复训练。关于毒品的种类，有不同的分类方法，如联合国麻醉药品委员会将毒品分为六大类，如吗啡类、大麻类等；世界卫生组织则将毒品分为八大类，如吗啡类、可卡因类、印度大麻类、苯丙胺类、致幻剂类等。也有将毒品分为四大类的，如鸦片类、大麻类、可卡类、精神类等。毒品分为不同的种类,反映了不同毒品的毒性和对人体的作用机制不同,戒断症状也不同,需要采取有针对性的治疗方法和治疗药物。这里所说的“吸毒成瘾的程度”,是指吸毒人员对毒品的依赖程度,特别是心理依赖程度。戒毒治疗和康复训练应当根据戒毒人员吸食、注射毒品的种类及成瘾程度,有针对性地进行,提高治疗效果。

2. 强制隔离戒毒场所应当对戒毒人员进行有针对性的生理治疗和心理治疗。如前所述,毒品的心理依赖和生理依赖,是吸毒人员摆脱不了毒品的关键因素。对吸毒人员进行有针对性的生理治疗、心理治疗,主要目的在于使吸毒人员摆脱对毒品的生理依赖和心理依赖。这里所说的“生理治疗”,主要是指强制隔离戒毒场所对急性脱毒阶段的戒毒人员因戒毒产生的戒断症状进行有针对性的治疗,减轻和消除其戒断症状,并预防由于戒毒可能产生的其他生理健康问题。由于出现的戒断症状因吸食、注射的毒品不同而不同,治疗时要相应采取不同的措施。“心理治疗”主要是帮助吸毒成瘾人员纠正错误认识,树立自信心、责任心和意志力,强化其戒毒动机;帮助戒毒人员分析吸毒原因,提高自控能力;让戒毒人员逐渐减少不良习惯、不良行为、不良心理反应;建立奖励机制,挖掘潜力,重塑自我,使其能够依靠自身力量摆脱对毒品的依赖,达到戒毒的目的。心理依赖是吸毒人员最难戒除、最复杂的症状,所以心理治疗所承担的任务也尤为重要、艰难。

3. 强制隔离戒毒场所应当对戒毒人员进行有针对性的身体康复训练。吸毒人员由于长期吸食、注射毒品,生活状况差，身体机能较差，因此，有必要在戒毒治疗的同时进行身体各部分功能的康复训练。身体康复训练包括体育训练、生活技能训练等，主要可通过参加文体活动等进行，有助于恢复戒毒人员的体能，培养集体主义观念，增强戒毒人员的自信心，为日后融入正常社会打下基础。生理、心理治疗和身体康复训练要根据戒毒人员的实际情况综合掌握运用，相互衔接，以有效提高戒毒的效果。

本条第二款是关于强制隔离戒毒场所组织戒毒人员参加劳动、进行职业技能培训的规定。

生产劳动有助于戒毒人员身体恢复，有助于戒毒人员的职业技能培养，有助于培养戒毒人员生活的自信心，可以为戒毒人员在戒毒期满后回归社会谋职业、降低复吸率奠定基础。因此，本款规定，强制隔离戒毒场所可以根据戒毒的需要，组织戒毒人员参加必要的生产劳动，对戒毒人员进行职业技能培训。同时还规定，组织戒毒人员参加生产劳动的，应当支付劳动报酬。组织戒毒人员参加生产劳动，应在戒毒人员生理脱毒后，身体无其他严重疾病的情况下逐渐进行。

第四十四条　强制隔离戒毒场所应当根据戒毒人员的性别、年龄、患病等情况，对戒毒人员实行分别管理。

强制隔离戒毒场所对有严重残疾或者疾病的戒毒人员，应当给予必要的看护和治疗；对患有传染病的戒毒人员，应当依法采取必要的隔离、治疗措施；对可能发生自伤、自残等情形的戒毒人员，可以采取相应的保护性约束措施。

强制隔离戒毒场所管理人员不得体罚、虐待或者侮辱戒毒人员。

【释义】 本条是关于强制隔离戒毒场所对戒毒人员分别管理和管理人员不得体罚、虐待、侮辱戒毒人员的规定。共分为三款。

本条第一款所规定的“分别管理”，主要是指根据戒毒人员的性别、年龄、患病等情况，让其在不同的场所或者区域生活、劳动、接受治疗，由不同的管理人员根据其特点实施不同的管理措施等。这里所规定根据“年龄”实行分别管理，主要是指对未成年人和成年人实行分别管理；根据“患病”情况实行分别管理，主要是指根据对患病的戒毒人员进行治疗的需要，如对重病患者、传染病患者进行特殊照顾或者隔离治疗的需要，对患病和没有患病的戒毒人员，对患有不同病的戒毒人员实行分别管理。根据本款规定，对于根据戒毒人员的其他情况，有实行分别管理必要的，强制隔离戒毒场所也可以对戒毒人员实行分别管理。

本条第二款是关于强制隔离戒毒场所采取看护、隔离、治疗和保护性约束措施的规定。本款共规定了三个方面的内容。

1. 强制隔离戒毒场所对有严重残疾或者疾病的戒毒人员，应当给予必要的看护和治疗。这里所讲的“残疾”，应依照残疾人保障法第二条关于“残疾人是指在心理、生理、人体结构上，某种组织、功能丧失或者不正常，全部或者部分丧失以正常方式从事某种活动能力的人。残疾人包括视力残疾、听力残疾、言语残疾、肢体残疾、智力残疾、精神残疾、多重残疾和其他残疾的人”的规定认定。这里所规定的“必要的看护”,主要是指为了保证有严重残疾或者疾病的戒毒人员正常生活和接受正常治疗的需要,向其提供必要的照顾和帮助。本款规定体现了对有严重残疾或疾病的戒毒人员的人文关怀。

2. 强制隔离戒毒场所对患有传染病的戒毒人员,应当依法采取必要的隔离、治疗措施。这里所规定的“依法”,主要是指依照传染病防治法及其他相关法律法规的规定。强制隔离戒毒场所应当依照传染病防治法及其他相关法律法规的规定,对患有传染病的戒毒人员采取必要的隔离、治疗措施。

3. 强制隔离戒毒场所对可能发生自伤、自残等情形的戒毒人员,可以采取相应的保护性约束措施。这里所规定的“自伤、自残”,是指戒毒人员由于毒瘾发作、自暴自弃或者为逃避监管治疗等原因,通过吞食异物、故意伤残自己肢体等方式,故意使自己的身体受到伤害或者导致残疾的情况。考虑到戒毒人员的特点,除了对于戒毒人员自伤、自残的,强制隔离戒毒场所应当及时采取必要的措施进行治疗外,本款还特别规定了对可能自伤、自残的预防措施。即根据戒毒人员的吸毒成瘾程度、精神状态及行为表现等,戒毒人员可能自伤、自残甚至自杀的,强制隔离戒毒场所可以采取相应的保护性约束措施。这里所规定的“保护性约束措施”,其适用目的是为了保护戒毒人员的人身安全和健康,其约束的程度和时间要依据保护其人身安全和健康为限度。这种保护性约束措施不是一种处罚。

本条第三款是关于强制隔离戒毒场所管理人员不得体罚、虐待或者侮辱戒毒人员的规定。

1. 尊重和保障人权是我国宪法规定的原则，体现了社会主义制度的本质要求。公民的人身权是最重要、最基本的人权。宪法规定，公民的人格尊严不受侵犯，禁止用任何方法对公民进行侮辱、诽谤和诬告陷害。本款禁止强制隔离戒毒场所管理人员体罚、虐待或者侮辱戒毒人员的规定，体现了对戒毒人员人权的尊重和保障。

2. 本款规定的"管理人员"，是指在强制隔离戒毒场所中行使管理职责的工作人员。本款所禁止的体罚、虐待、侮辱，主要是指对戒毒人员强迫从事过度劳动、殴打、捆绑、冻饿、罚站、罚跪、嘲笑、辱骂、滥施械具等行为。对于强制隔离戒毒场所管理人员违反本款规定的行为，本法第六十九条规定了应负的法律责任。

第四十五条　强制隔离戒毒场所应当根据戒毒治疗的需要配备执业医师。强制隔离戒毒场所的执业医师具有麻醉药品和精神药品处方权的，可以按照有关技术规范对戒毒人员使用麻醉药品、精神药品。

卫生行政部门应当加强对强制隔离戒毒场所执业医师的业务指导和监督管理。

【释义】　本条是关于强制隔离戒毒场所配备执业医师的规定。共分为两款。

本条第一款是关于强制隔离戒毒场所配备执业医师和执业医师使用麻醉药品、精神药品的规定，包括以下两个方面的内容：

1. 强制隔离戒毒场所应当根据戒毒治疗的需要配备执业医师。吸毒人员既是违法者，又是病人和受害者。对吸毒违法行为应依据治安管理处罚法的规定处罚。而对吸毒成瘾符合强制隔离戒毒条件的人员予以强制隔离戒毒，则主要是一种教育和医疗措施。强制隔离戒毒场所的主要职责是对戒毒人员进行戒毒治疗。因此，本款规定，强制隔离戒毒场所应当根据戒毒治疗的需要配备执业医师。这里所规定的"执业医师"，是指依照执业医师法的规定，依法取得执业医师资格或者执业助理医师资格，经注册在医疗、预防、保健机构中执业的专业医务人员。

2. 强制隔离戒毒场所的执业医师具有麻醉药品和精神药品处方权的，可以按照有关技术规范对戒毒人员使用麻醉药品、精神药品。强制隔离戒毒场所在对戒毒人员进行戒毒治疗或者对戒毒人员的其他疾病进行治疗的过程中，有时需要使用麻醉药品和精神药品。在使用麻醉药品和精神药品时，必须严格遵守国家有关麻醉药品和精神药品使用的管理规定。强制隔离戒毒场所对戒毒人员使用麻醉药品和精神药品，必须由具有麻醉药品和精神药品处方权的执业医师进行。根据国务院制定的《麻醉药品和精神药品管理条例》第三十八条的规定，医疗机构应当按照国务院卫生主管部门的规定，对本单位执业医师进行有关麻醉药品和精神药品使用知识的培训、考核,经考核合格的,授予麻醉药品和第一类精神药品处方资格。执业医师取得麻醉药品和第一类精神药品的处方资格后,方可在本医疗机构开具麻醉药品和第一类精神药品处方,但不得为自己开具该种处方。强制隔离戒毒场所具有麻醉药品和精神药品处方权的执业医师,在对戒毒人员使用麻醉药品、精神药品时,必须严格按照有关技术规范进行。执业医师法第二十五条第二款规定,除正当诊断治疗外,不得使用麻醉药品、医疗用毒性药品、精神药品和放射性药品。根据《麻醉药品和精神药品管理条例》的有关规定,医务人员应当根据国务院卫生主管部门制定的临床应用指导原则,使用麻醉药品和精神药品。具有麻醉药品和第一类精神药品处方资格的执业医师,根据临床应用指导原则,对确需使用麻醉药品或者第一类精神药品的患者,应当满足其合理用药需求。执业医师应当使用专用处方开具麻醉药品和精神药品,单张处方的最大用量应当符合国务院卫生主管部门的规定。

本条第二款是关于卫生行政部门对强制隔离戒毒场所执业医师的业务指导和监督管理的规定。执业医师法第四条规定,国务院卫生行政部门主管全国的医师工作。县级以上地方人民政府卫生行政部门负责管理本行政区域内的医师工作。即对于执业医师,包括强制隔离戒毒场所的执业医师的业务指导和监督管理,统一由卫生行政部门负责。因此,本款规定,卫生行政部门应当加强对强制隔离戒毒场所执业医师的业务指导和监督管理,包括考核、培训、检查等。

第四十六条　戒毒人员的亲属和所在单位或者就读学校的工作人员，可以按照有关规定探访戒毒人员。戒毒人员经强制隔离戒毒场所批准，可以外出探视配偶、直系亲属。

强制隔离戒毒场所管理人员应当对强制隔离戒毒场所以外的人员交给戒毒人员的物品和邮件进行检查，防止夹带毒品。在检查邮件时，应当依法保护戒毒人员的通信自由和通信秘密。

【释义】　本条是关于强制隔离戒毒人员探访探视和强制隔离戒毒场所检查物品邮件的规定。共分为两款。

本条第一款是关于强制隔离戒毒人员探访探视的规定。

1. 本法针对吸毒成瘾者规定的社区戒毒和强制隔离戒毒措施不是处罚，在性质上属于教育和医疗措施。对强制隔离戒毒人员有关探访探视方面的权利作出规定，既体现了人道主义精神，也有利于使吸毒人员感受到来自家庭和社会的关心，增强其戒毒的决心和毅力，还可以防止戒毒人员由于与其家庭及外部社会的隔绝而产生被抛弃的感觉，从而对其接受戒毒治疗产生消极的影响。

2. 按照本款规定，戒毒人员的亲属和所在单位或者就读学校的工作人员，可以按照有关规定探访戒毒人员。这里所规定的戒毒人员的“亲属”，既包括戒毒人员的夫、妻、父、母、子、女、同胞兄弟姊妹等近亲属，也包括戒毒人员的其他亲属，既包括在强制隔离戒毒前与戒毒人员共同生活的家庭成员，也包括不与戒毒人员共同生活的其他亲属。“所在单位的工作人员”，主要是指戒毒人员在被强制隔离戒毒前工作的机关、企业事业单位的领导和有关工作人员；“就读学校的工作人员”，主要是指戒毒人员在被强制隔离戒毒前就读的学校的教师及其他工作人员。这里所规定的“按照有关规定”，是指到强制隔离戒毒场所探视戒毒人员，应当遵守有关强制隔离戒毒场所探视的规定，如对探视次数、时间、人数、有关安全管理和防止传递毒品等方面的规定等。强制隔离戒毒场所也应当依照有关规定，尽量为戒毒人员的家属和所在单位或者就读学校的工作人员探访戒毒人员提供方便和必要的会见条件。

3. 戒毒人员经强制隔离戒毒场所批准，可以外出探视配偶、直系亲属。强制隔离戒毒措施是一种限制人身自由的强制性教育医疗措施，设立这一制度，主要是考虑到对于严重的吸毒成瘾人员或者经过社区戒毒效果不好的吸毒成瘾人员，由专门的人员按照有关戒毒治疗规范，对其进行集中统一的教育、治疗和管理确有必要；同时，强制隔离戒毒还可以使戒毒人员与毒品的来源及“毒友”等相隔离，使其在一定期限内生活在一个“无毒”的环境中，对其成功戒毒具有重要的意义。因此，戒毒人员在被强制隔离戒毒期间，原则上不能离开所在的强制隔离戒毒场所，以防止其拒绝不了毒品的诱惑或者“毒友”的不良影响，使其在强制隔离戒毒场所接受戒毒治疗的努力付之东流。但在现实生活中，在强制隔离戒毒期间也可能会出现某些特殊情况，例如，戒毒人员的配偶或者直系亲属生重病、遇到事故或者有其他重大变故等，在这种情况下，如果一律不允许戒毒人员回家探视，不仅与强制隔离戒毒措施的性质不符，也可能会对戒毒人员及其配偶、直系亲属的感情造成伤害，反而不利于对戒毒人员的教育治疗。因此，对于在强制隔离戒毒场所接受戒毒的人员，在符合一定条件下允许其探亲，是必要的，也有利于戒毒人员在强制隔离戒毒期届满后顺利地融入社会，巩固戒毒效果。按照本款规定，戒毒人员离开强制隔离戒毒场所探视其配偶、直系亲属，要经强制隔离戒毒场所批准。强制隔离戒毒场所应当考虑申请探视的原因、理由，戒毒人员接受强制隔离戒毒的时间及行为表现等，作出是否批准的决定。

本条第二款是关于强制隔离戒毒场所检查物品邮件的规定。

1. 在实践中，戒毒人员在被强制戒毒或者劳教戒毒期间，有时发生戒毒人员的家属或者朋友禁不住戒毒人员的央求，或者心疼戒毒人员在发生戒断症状时的痛苦，而在交给戒毒人员的食品、衣物等物品中或者邮件中夹带少量毒品的情况，甚至还发生过社会上的不法分子通过上述方式向在强制戒毒场所或者劳教场所的戒毒人员贩卖毒品的情况。为了防止这类情况发生，强制隔离戒毒场所有必要对强制隔离戒毒场所以外的人交给戒毒人员的物品和邮件进行检查。在国家现行关于戒毒的规定中，也都有同样的规定。

2. 强制隔离戒毒场所的管理人员对强制隔离戒毒场所以外的人员交给戒毒人员的物品和邮件进行检查，目的是防止夹带毒品。因此，所采用的检查方法和手段，都要与这一目的相符，并以能够实现这一目的为限。对于检查邮件，本款还特别规定，应当依法保护戒毒人员的通信自由和通信秘密。通信自由和通信秘密是戒毒人员享有的宪法权利。我国宪法第四十条规定："中华人民共和国公民的通信自由和通信秘密受法律的保护。除因国家安全或者追查刑事犯罪的需要，由公安机关或者检察机关依照法律规定的程序对通信进行检查外，任何组织或者个人不得以任何理由侵犯公民的通信自由和通信秘密。"本款作出这一规定，体现了宪法的要求。根据这一规定，强制隔离戒毒场所的管理人员，不能仅仅为防止夹带毒品，而将强制隔离戒毒场所以外的人寄给戒毒人员的邮件予以退回或者截留等，对邮件进行防止夹带毒品的检查，要注意使用不泄露通信内容的检查方法。

第四十七条　强制隔离戒毒的期限为二年。

执行强制隔离戒毒一年后，经诊断评估，对于戒毒情况良好的戒毒人员，强制隔离戒毒场所可以提出提前解除强制隔离戒毒的意见，报强制隔离戒毒的决定机关批准。

强制隔离戒毒期满前，经诊断评估，对于需要延长戒毒期限的戒毒人员，由强制隔离戒毒场所提出延长戒毒期限的意见，报强制隔离戒毒的决定机关批准。强制隔离戒毒的期限最长可以延长一年。

【释义】　本条是关于强制隔离戒毒期限的规定。共分为三款。

本条第一款是关于强制隔离戒毒一般期限的规定。

根据本款规定，强制隔离戒毒的期限为二年，即在县级以上人民政府公安机关依照本法第三十八条的规定，对符合条件的吸毒成瘾人员决定强制隔离戒毒时，所决定的强制隔离戒毒措施的期限一律为二年。这样规定，主要考虑了戒毒的客观规律，总结和借鉴了国内外在戒毒治疗方面比较成熟的经验。根据国际上的通行做法，戒毒治疗一般都分为三个阶段：一是急性脱毒阶段，这一阶段主要是通过治疗来减轻吸毒成瘾者的戒断症状，预防由于突然停药可能产生的健康问题。二是心理康复治疗阶段，这一阶段主要是对吸毒成瘾者进行心理治疗和行为矫治，包括帮助吸毒成瘾者树立信心、责任心，强化其戒毒动机；帮助其分析吸毒原因，提高自控能力，帮助其掌握一些应对技能；矫正其不良的行为习惯；对吸毒成瘾者脱毒后的失眠、焦虑、病痛等症状进行对症治疗等。三是回归社会阶段，需要采取强制隔离戒毒措施的，主要是在前两个阶段，因为在急性脱毒期戒毒人员有急性戒断症状，行为失控，需要在管理严格的封闭环境中进行；而心理康复治疗阶段，仍是对毒品敏感和戒毒比较困难的时期，为了强化戒毒效果，同时完全阻断毒品的来源，也需要进行隔离治疗。从医学观点看，急性脱毒阶段所需时间较短，一般在二三周以内，而心理康复治疗阶段所需时间则因人而异，一般两年时间比较合适。基于上述考虑，本款将强制隔离戒毒的期限规定为二年。

本条第二款是关于提前解除强制隔离戒毒的规定。

根据本款规定，执行强制隔离戒毒一年后，经诊断评估，对于戒毒情况良好的戒毒人员，强制隔离戒毒场所可以提出提前解除强制隔离戒毒的意见，报强制隔离戒毒的决定机关批准。对于戒毒治疗前两个阶段，为了保证戒毒效果，完全阻断毒品的来源，有必要采取强制隔离戒毒，但心理康复治疗所需要的时间因人而异，一般需要两年时间。对于这些戒毒人员，如果急性脱毒和心理康复治疗的治疗目的已经达到，戒毒效果良好，就应当及时解除强制隔离戒毒，以有利于戒毒人员更早地回归社会。根据本款规定，提前解除强制隔离戒毒必须是在执行强制隔离戒毒一年后。强制隔离戒毒执行未满一年的，不得提前解除。这里所规定的“诊断评估”，要综合考虑多方面的因素，包括戒毒人员本人的状况、吸毒和戒毒的动机、人格状况、家庭环境条件、戒毒人员以前吸毒和戒毒的经历，以及戒毒人员在接受强制隔离戒毒期间的表现等。诊断评估由强制隔离戒毒场所组织进行。强制隔离戒毒场所对诊断评估结果进行审查后，认为该戒毒人员戒毒情况良好，可以提前解除强制隔离戒毒的，提出提前解除强制隔离戒毒的意见，报对该戒毒人员决定强制隔离戒毒的县级以上人民政府公安机关批准。

本条第三款是关于延长强制隔离戒毒期限的规定。

1. 根据本款规定，强制隔离戒毒期满前，经诊断评估，对于需要延长戒毒期限的戒毒人员，由强制隔离戒毒场所提出延长戒毒期限的意见，报强制隔离戒毒的决定机关批准。强制隔离戒毒的期限最长可以延长一年。考虑到对戒毒人员进行心理康复治疗所需要的时间因人而异，对于有的吸毒成瘾严重的人员，可能会需要多于两年的时间。对于这些戒毒人员，如果在强制隔离戒毒期间，对其进行心理康复治疗的治疗目的还没有达到，戒毒效果较差，从对戒毒人员负责的角度出发，对强制隔离戒毒的期限予以适当延长很有必要。但强制隔离戒毒毕竟限制了戒毒人员的人身自由，延长强制隔离戒毒期限也不能没有限度。本款对延长强制隔离戒毒期限作了规定，并规定强制隔离戒毒的期限最长可以延长一年，即延长多少，可以根据戒毒人员的具体情况决定，如三个月、半年或者一年。

2. 这里所规定的“诊断评估”，要综合考虑多方面的因素，包括戒毒人员本人的状况、吸毒和戒毒的动机、人格状况、家庭环境条件、戒毒人员以前吸毒和戒毒的经历，以及戒毒人员在接受强制隔离戒毒期间的表现等。诊断评估由强制隔离戒毒场所组织进行。强制隔离戒毒场所对诊断评估结果进行审查后，认为需要延长强制隔离戒毒期限的，提出意见，报对该戒毒人员决定强制隔离戒毒的县级以上人民政府公安机关批准。

第四十八条　对于被解除强制隔离戒毒的人员，强制隔离戒毒的决定机关可以责令其接受不超过三年的社区康复。

社区康复参照本法关于社区戒毒的规定实施。

【释义】　本条是关于被解除强制隔离戒毒人员接受社区康复的规定。共分为两款。

本条第一款是关于责令被解除强制隔离戒毒人员接受社区康复的规定。

本法规定对被解除强制隔离戒毒人员的社区康复，是对国内外在戒毒治疗方面比较成熟的经验和做法的总结和借鉴。回归社会阶段是戒毒治疗过程中的一个重要阶段。这是因为，戒毒能否成功，除了戒毒人员本人的意愿和意志力外，其周围环境非常关键。从实践情况看，戒毒人员回到社区后，如果受到歧视，在工作、生活等方面都遇到难以解决的困难，就很容易走上复吸的道路。与之相反，戒毒人员在回到社区后，如果能及时获得必要的帮助，及时得到他人关心，戒毒成功的可能性就大大提高。戒毒治疗要按科学规律办事，三个阶段不能割裂，要形成“无缝衔接”，不能只管其中一段或者两段而忽略另一段，否则很难达到戒毒的预期效果。特别是回归社会后，要完善后续配套措施，以巩固戒毒效果。在我国多年的戒毒实践中，许多地方都发展和推广了基层组织的社会帮教戒毒措施，其对象主要是解除强制戒毒、劳动教养戒毒的人员，通过社会帮教戒毒来巩固戒毒效果，防止复吸。在实践中，一些地方建立了强制性戒毒措施和基层组织社会帮教戒毒工作的衔接机制，凡是强制戒毒和劳动教养戒毒的出所人员，都纳入社会帮教体系。社会帮教戒毒由乡镇人民政府或者街道办事处组织实施，主要依靠基层的党支部、公安派出所、居民委员会、村民委员会、共青团、民兵组织等，动员各方面的力量，运用签订帮教责任书、谈心走访、就业培训指导、帮助解决生活困难、定期尿检等多种方法对解除戒毒措施的人员进行帮教，有的地方还在社区建立了吸毒人员帮教中心。在帮教戒毒工作中，戒毒人员的家属发挥了十分重要的作用。

帮教期限一般为三年，帮教措施也从紧到松，根据不同阶段采取不同的帮教办法。目前，许多地方的社会帮教戒毒工作都取得了一定的成果，总结了一些好的经验和做法。这次禁毒立法，总结戒毒治疗的科学规律和各地在社会帮教戒毒工作方面的实践经验，规定了对戒毒人员的社区康复措施，在本款中规定，对于被解除强制隔离戒毒的人员，强制隔离戒毒的决定机关可以责令其接受不超过三年的社区康复。这里所规定的“强制隔离戒毒的决定机关”，是指对该戒毒人员决定强制隔离戒毒的县级以上人民政府公安机关。社区康复的最长期限为三年，公安机关在责令戒毒人员接受社区康复时，可以根据戒毒人员在强制隔离戒毒期间的表现、接受戒毒治疗的效果及其回归社会后的家庭社会环境等因素，确定其接受社会康复的具体期限。需要注意的是，对于被解除强制隔离戒毒的人员，如果该戒毒人员根据本法第四十九条的规定自愿在戒毒康复场所生活、劳动的，公安机关不需要再责令其接受社区康复；对于其他解除强制隔离戒毒的戒毒人员，公安机关可以根据其戒毒表现和巩固戒毒成果的需要，决定是否责令其接受社区康复。

本条第二款是关于如何实施对被解除强制隔离戒毒人员的社区康复的规定。

根据本款规定，社区康复参照本法关于社区戒毒的规定实施。本法第三十三条至第三十五条规定了对吸毒成瘾人员的社区戒毒措施。社区戒毒措施与社区康复措施在适用对象和适用时间上不同。社区戒毒措施适用于初次发现的吸毒成瘾不太严重的吸毒人员，吸毒人员被责令接受社区戒毒的，只有在其拒绝社区戒毒、在社区戒毒期间吸食、注射毒品、严重违反社区戒毒协议或者经社区戒毒后再次吸食、注射毒品的，才予以强制隔离戒毒；而社区康复则适用于被解除强制隔离戒毒的人员。但社区戒毒和社区康复在执行主体、目的及方法上基本是相同的。因此，本款作出这样的规定。根据本款规定，对戒毒人员一般也在户籍所在地接受社区康复；在户籍所在地以外的现居住地有固定住所的，可以在现居住地接受社区康复。社区康复工作也由城市街道办事处、乡镇人民政府负责。城市街道办事处、乡镇人民政府可以指定有关基层组织，根据戒毒人员本人和家庭情况，与戒毒人员签订社区康复协议，落实有针对性的社区康复措施。公安机关和司法行政、卫生行政、民政等部门应当对社区康复工作提供指导和协助。城市街道办事处、乡镇人民政府，以及县级人民政府劳动行政部门对无职业且缺乏就业能力的戒毒人员，应当提供必要的职业技能培训、就业指导和就业援助。接受社区康复的戒毒人员应当遵守法律、法规，自觉履行社区康复协议，并根据公安机关的要求，定期接受检测。对违反社区康复协议的戒毒人员，参与社区康复的工作人员应当进行批评、教育；对严重违反社区康复协议或者在社区康复期间又吸食、注射毒品的，应当及时向公安机关报告。

第四十九条　县级以上地方各级人民政府根据戒毒工作的需要，可以开办戒毒康复场所；对社会力量依法开办的公益

性戒毒康复场所应当给予扶持，提供必要的便利和帮助。

戒毒人员可以自愿在戒毒康复场所生活、劳动。戒毒康复场所组织戒毒人员参加生产劳动的，应当参照国家劳动用工制度的规定支付劳动报酬。

【释义】 本条是关于戒毒康复场所的规定。共分为两款。

本条第一款是关于政府开办戒毒康复场所和社会力量依法开办公益性戒毒康复场所的规定。

1. 吸食、注射海洛因成瘾者的戒断巩固问题是一个世界性难题。多年来，我国绝大多数海洛因成瘾者的复吸率很高，陷入了戒毒、复吸、再戒毒、再复吸的恶性循环，直接影响了禁毒工作的成效。为了有效解决戒毒人员复吸率高的问题，近些年来，各地各有关部门进行了创造性探索，积累了一些成功经验，其中就包括创办戒毒康复场所的做法。最早是由云南、海南、宁夏等省区的部分强制戒毒所积极拓展康复功能，开办戒毒康复场所。戒毒康复场所以自愿为前提、康复为中心、生产为平台、教育为手段、医疗为保障、回归为目标，通过为戒毒期满后自愿留所和返所人员提供就业岗位的方式，安置了一批戒毒人员。有的戒毒康复场所还利用自身优势，积极与企业合作，最大限度地向戒毒人员提供培训和就业岗位。通过这种方式，最大限度地帮助戒毒人员巩固了戒毒成果，有效降低了复吸率，得到了戒毒人员及其家属的欢迎，也得到了社会的广泛认可。与此同时，一些社会有识之士也怀着对禁毒事业的热情，积极兴办戒毒康复场所或者利用开办的工厂企业，接收安置了一批戒毒人员，解决了他们的生活、就业问题，为戒毒康复事业做出了积极贡献。实践证明，戒毒康复场所建设是有效解决戒毒人员复吸问题、深化禁毒人民战争的一项重要举措。因此，本款规定，县级以上地方各级人民政府根据戒毒工作的需要，可以开办戒毒康复场所；对社会力量依法开办的公益性戒毒康复场所应当给予扶持，提供必要的便利和帮助。

2. 根据本款规定，戒毒康复场所可以由县级以上地方各级人民政府根据戒毒工作的需要开办，也可以由社会力量开办，接收被依法解除强制隔离戒毒的戒毒人员在场所内生活、劳动，并接受戒毒康复治疗。对于社会力量依法开办公益性戒毒康复场所的，县级以上地方各级人民政府应当给予扶持，提供必要的便利和帮助，包括在开办手续、场地选择和经营过程中提供便利，帮助解决在开办和经营过程中遇到的各种困难等。需要指出的是，本法第四十八条第一款规定，对于被解除强制隔离戒毒的人员，强制隔离戒毒的决定机关可以责令其接受不超过三年的社区康复。戒毒康复场所接收的也是被解除强制隔离戒毒的人员，因此，对于被解除强制隔离戒毒的戒毒人员自愿到戒毒康复场所生活、劳动的，强制隔离戒毒的决定机关就不需要再责令其接受社区康复。

本条第二款是关于戒毒人员自愿在戒毒康复场所生活、劳动及参加生产劳动的劳动报酬的规定。包括两方面的内容：

1. 戒毒人员可以自愿在戒毒康复场所生活、劳动。这一规定强调的是戒毒人员在戒毒康复场所生活、劳动的自愿性。戒毒康复场所的戒毒康复既不属于一种处罚，也不属于行政强制措施，因此，不能强制或者责令戒毒人员到戒毒康复场所生活、劳动。

2. 戒毒康复场所组织戒毒人员参加生产劳动的，应当参照国家劳动用工制度的规定支付劳动报酬。戒毒人员在戒毒康复场所参加生产劳动，既可以将劳动作为戒毒康复的一个有效的辅助手段，也可以通过参加劳动领取劳动报酬来获得治疗和生活的费用。参加生产劳动还可以帮助戒毒人员提高劳动技能，树立成功戒毒和回归社会的信心，从而为其最终离开戒毒康复场所回到社会中生活做了充分的准备。因此，戒毒康复场所都要为戒毒人员提供生活和劳动条件。同时，戒毒人员是自愿到戒毒康复场所参加生活劳动的，其与戒毒康复场所之间的劳动关系主要是合同性质的，戒毒康复场所应当根据其劳动的数量和质量，参照国家劳动用工制度的规定支付劳动报酬。

第五十条　公安机关、司法行政部门对被依法拘留、逮捕、收监执行刑罚以及被依法采取强制性教育措施的吸毒人员，应当给予必要的戒毒治疗。

【释义】　本条是关于对被依法剥夺人身自由的吸毒人员给予戒毒治疗的规定。

禁毒法规定的社区戒毒和强制隔离戒毒，都是针对除吸毒、注射毒品外，没有发现有其他违法犯罪行为的吸毒成瘾人员。在司法实践中，因为吸毒、注射毒品而引发违法犯罪行为的情况很多。有许多“瘾君子”由于吸毒、注射毒品花销很大，本人又由于吸食、注射毒品导致精神萎靡、健康受损而失去工作或者丧失其他收入来源，有些“瘾君子”则产生破罐子破摔的心理，从而走上违法犯罪的道路。从各地情况看，因毒品诱发的抢劫、盗窃、诈骗、卖淫、赌博等刑事、治安案件大量发生。有些地方还存在吸毒者“以贩养吸”的情况。吸毒人员虽然同时也是病人和受害者，但对于吸毒人员的违法犯罪行为，公安司法机关仍要依法追究其法律责任。与此同时，对于因违法犯罪行为被公安司法机关依法追究限制人身自由的人，国家本着人道主义精神和负责的态度，为了治病救人，防止吸毒人员因为毒瘾发作等原因而受到伤害，也要对其给予必要的戒毒治疗。

根据本条规定，公安机关、司法行政部门对被依法拘留、逮捕、收监执行刑罚以及被依法采取强制性教育措施的吸毒人员，应当给予必要的戒毒治疗。本条规定的主体是依法执行拘留、逮捕、收监执行刑罚和执行强制性教育措施的公安机关、司法行政部门。这里所规定的“拘留”，包括治安管理处罚法规定的行政拘留和刑事诉讼法规定的刑事拘留。这里所规定的“逮捕”，是指刑事诉讼法规定的逮捕强制措施。这里所规定的“收监执行刑罚”，是指依照刑事诉讼法和监狱法的有关规定，由监狱对被判处死刑缓期二年执行、无期徒刑、有期徒刑的罪犯执行刑罚。对于被判处有期徒刑的罪犯，在被交付执行刑罚前，剩余刑期在一年以下，由看守所代为执行的，以及对被判处拘役的罪犯在拘役所中执行刑罚的，也属于这里所规定的“收监执行刑罚”。这里所规定的“强制性教育措施”,主要是指目前实行的劳动教养。本法之所以使用“强制性教育措施”这一名称,是因为劳动教养的立法研究工作正在进行,无论劳动教养措施的名称是否会改变,其性质是强制性教育措施。治安管理处罚法在提到劳动教养时也使用了“强制性教育措施”这一名称。对于本条规定的被依法剥夺人身自由的吸毒人员,公安机关、司法行政部门应当参照有关戒毒治疗的规定,给予其必要的戒毒治疗。

第五十一条　省、自治区、直辖市人民政府卫生行政部门会同公安机关、药品监督管理部门依照国家有关规定,根据巩固戒毒成果的需要和本行政区域艾滋病流行情况,可以组织开展戒毒药物维持治疗工作。

【释义】　本条是关于开展戒毒药物维持治疗工作的规定。

戒毒药物维持治疗,是对吸毒成瘾者选用适当的药物,以替代、递减的方法,减缓吸毒者戒断症状的痛苦,减轻吸毒者对毒品的依赖,防止因注射吸毒引起艾滋病病毒的感染和扩散,减少毒品成瘾引起的疾病、死亡,减少吸毒引发的违法犯罪的一种治疗方法。目前,戒毒药物维持治疗主要是指美沙酮维持治疗。美沙酮是一种合成的麻醉性镇痛药,其化学结构不同于吗啡,但药理作用与吗啡相似,成瘾性也较吗啡小。需要说明的是,美沙酮属于国家管制的麻醉药品,如果滥用,也是一种毒品。用美沙酮维持治疗,实际上是一种两害相权取其轻的做法。实践表明，美沙酮具有对戒断症状控制显著，脱毒治疗成功率高，服用方便，一次用药能维持 24 小时的临床效应等优点，是控制海洛因成瘾者毒品滥用和艾滋病传播的有效干预措施之一。近年来，艾滋病、乙肝、丙肝等传染病在吸毒人群中迅速传播的情况比较突出，为了尽快控制艾滋病等传染病在吸毒人群中的传播，减轻吸毒者对海洛因的依赖和减少与毒品有关的违法犯罪，我国在部分地区开展了美沙酮维持治疗试点门诊，通过较长时期服用美沙酮来处理海洛因成瘾，并配合心理治疗、行为干预等综合措施，以最终达到减少毒品危害和需求的目的。卫生行政部门和参加治疗的戒毒人员反映，美沙酮维持治疗可以使人免受戒断症状的困扰，降低复吸率，尤其是能够减少因注射毒品感染艾滋病的几率。而且药物替代治疗的费用与购买海洛因的费用相差巨大，这样也有利于避免吸毒人员为获取毒资而引发其他违法犯罪活动。因此，本条对开展戒毒药物维持治疗工作作出了相应的规定。

依照本条规定，开展戒毒药物维持治疗工作由省、自治区、直辖市人民政府卫生行政部门会同公安机关、药品监督管理部门进行，其他部门或者单位无权开展这项工作。另外，开展戒毒药物维持治疗工作必须依照国家有关规定，根据巩固戒毒成果的需要和本行政区域艾滋病流行情况的需要组织进行。这里的“国家有关规定”，主要是指本法和《艾滋病防治条例》等法律、法规等。根据本行政区域艾滋病流行情况的需要，主要是指本地区艾滋病流行的原因、范围和严重程度。

第五十二条　戒毒人员在入学、就业、享受社会保障等方面不受歧视。有关部门、组织和人员应当在入学、就业、享受社会保障等方面对戒毒人员给予必要的指导和帮助。

【释义】　本条是关于不得歧视戒毒人员的规定。

吸毒者是社会中的一个特殊群体。从法律的角度看，吸毒行为是直接违反治安管理处罚法的行为，吸毒人员是违法者。从医学的角度看，吸毒成瘾的人大脑神经功能受到损伤，在大脑脑部有病灶，所以吸毒成瘾者又是疾病患者。从社会学角度看，吸毒成瘾对身体上、心理上都造成严重损害，毒瘾发作时痛苦不堪，所以吸毒成瘾者又是毒品的受害者。因此，对待吸毒者不应歧视，但又要严格管理，依法帮助其科学戒毒，使其尽早回归社会。

戒毒人员不受歧视，具体体现在入学、就业、享受社会保障等方面。

1. 在入学方面。根据义务教育法的规定，义务教育是国家统一实施的所有适龄未成年人必须接受的教育，是国家必须予以保障的公益性事业。戒毒人员如果是适龄未成年人，则有权利不受歧视地接受义务教育，各级人民政府及其有关部门应当履行法律规定的职责，保障适龄儿童、少年接受义务教育的权利。同样，在接受高等教育或者其他教育方面，也要保障其平等的入学权利，不能因曾经吸毒而受到不平等的对待。

2. 在就业方面。根据就业促进法的规定，劳动者依法享有平等就业和自主择业的权利。劳动者就业，不因民族、种族、性别、宗教信仰等不同而受歧视。作为劳动者,戒毒人员与其他人员一样享有上述权利。

3. 在社会保障方面。戒毒人员同其他人员一样,依照法律、行政法规的规定,享有养老、医疗、失业等社会保险、社会保障的权利。

本条还规定有关部门、组织和人员应当在入学、就业、享受社会保障等方面对戒毒人员给予必要的指导和帮助。

为了提高戒断巩固率、降低复吸率,本法规定了国家采取各种措施帮助吸毒人员戒除毒瘾,教育和挽救吸毒人员,也明确了地方各级人民政府特别是乡镇人民政府、城市街道办事处的帮教责任。除此以外,戒毒人员能否成功融入社会,防止复吸,与其戒毒后的生活环境和安置关系很大。根据本条规定,国家有关部门,如教育部门、劳动行政部门以及有关社会组织、基层组织等,对戒毒人员在入学、就业、享受社会保障等方面,应当提供必要的指导和帮助。

第五章　禁毒国际合作

第五十三条　中华人民共和国根据缔结或者参加的国际条约或者按照对等原则，开展禁毒国际合作。

【释义】 本条是关于开展禁毒国际合作的规定。

近年来，禁毒国际合作范围日益扩大。各国普遍认识到，毒品是人类的公敌，无论是生产国、过境国或是消费国，面对毒品的危害，单靠一国之力，难以达到禁毒的目的，毒品违法犯罪活动往往是跨国的，各国间需要加强国际合作，以形成多边禁毒合作机制，提高工作效果。我国政府高度重视禁毒国际合作，1985 年，我国加入联合国《1961 年麻醉品单一公约》和《1971 年精神药物公约》，1989 年加入《联合国制止非法贩运麻醉药品和精神药物公约》。20 世纪 80 年代中期以来，我国开始与联合国禁毒机构及其他一些国家、地区开展禁毒合作，已经和十几个国家签署了双边禁毒的协议，开展情报交流和执法合作，积极参与国际禁毒事务，参加联合国有关禁毒的活动，高度重视区域禁毒合作，以及开展双边的禁毒国际合作等。

根据本条的规定，我国与其他国家开展禁毒国际合作遵循以下两个原则：一是根据缔结或者参加的国际条约。这里规定的国际条约，是指国际法主体间缔结的用于确定相互权利义务关系的书面协议，包括国际公约和双边或者多边的国际条约。开展禁毒国际合作，应当依照我国缔结或者参加的有关国际条约的规定进行。二是对于我国与有关国家之间没有缔结或者共同参加国际条约的，按照对等原则开展合作。国际条约是开展国际合作的法律基础，但是对于与相关国家之间没有缔结国际条约的，或者没有双方共同参加的国际条约的，根据禁毒工作的需要也是可以开展国际合作的，在这种情况下，可以根据禁毒工作需要，按照对等的原则进行合作。对等原则是国际公认的处理国家关系的原则，我国是独立的主权国家，平等互惠地处理与其他国家关系，是我们长期坚持的基本原则。

第五十四条　国家禁毒委员会根据国务院授权，负责组织开展禁毒国际合作，履行国际禁毒公约义务。

【释义】　本条是关于由国家禁毒委员会组织开展禁毒国际合作的规定。

禁毒国际合作涉及多个部门、多个领域。我国已经参加了《1961 年麻醉品单一公约》、《1971 年精神药物公约》和《联合国制止非法贩运麻醉药品和精神药物公约》等公约，也一直在积极建立多边禁毒合作机制。在开展禁毒国际合作过程中，需要有一个部门牵头进行组织协调。根据我国多年来的禁毒国际合作实践中的做法，主要是以国家禁毒委员会的名义对外负责组织开展禁毒国际合作，履行国际禁毒公约义务。因此，本条对此作出明确规定。

第五十五条　涉及追究毒品犯罪的司法协助，由司法机关依照有关法律的规定办理。

【释义】　本条是关于涉及追究毒品犯罪的司法协助的规定。

根据本条的规定，涉及追究毒品犯罪的司法协助，由司法机关依照有关法律的规定办理。这里所规定的“毒品犯罪”，主要是指我国刑法分则第六章第七节所规定的有关毒品的犯罪。这里所规定的“司法协助”，主要是指国家间的刑事司法协助。刑事司法协助有广义和狭义之分。狭义的刑事司法协助，仅指代为送达司法文书、传讯证人、调查取证等；广义的刑事司法协助，还包括引渡、刑事判决和没收令的执行、被判刑人移管、诉讼转移等。我国刑事诉讼法第十七条规定：“根据中华人民共和国缔结或者参加的国际条约，或者按照互惠原则，我国司法机关和外国司法机关可以相互请求刑事司法协助。”涉及追究毒品犯罪的司法协助，应当依照刑事诉讼法、引渡法等有关法律规定办理。

第五十六条　国务院有关部门应当按照各自职责，加强与有关国家或者地区执法机关以及国际组织的禁毒情报信息交流，依法开展禁毒执法合作。

经国务院公安部门批准，边境地区县级以上人民政府公安机关可以与有关国家或者地区的执法机关开展执法合作。

【释义】　本条是关于加强与有关国家、地区执法机关以及国际组织的禁毒情报信息交流，依法开展禁毒执法合作的规定。共分为两款。

本条第一款是关于加强与有关国家、地区执法机关以及国际组织的禁毒情报信息交流和执法合作的规定。

开展禁毒国际合作，与其他国家或地区执法机关以及与有关国际组织在执法的层面上开展情报信息交流和合作非常重要，也是禁毒国际合作最经常和最常见的合作形式。根据本条规定，国务院有关部门应当按照各自职责，加强与有关国家或者地区执法机关以及国际组织的禁毒情报信息交流，依法开展禁毒执法合作。这里的国务院有关部门，主要是指与禁毒工作密切相关的公安、卫生、海关、司法行政、交通运输、边检等部门，这些部门由于与毒品流通、贩运的监控、查验有密切关系，在禁毒执法中担任重要的角色，加强与有关国家和国际组织的禁毒情报信息交流，有利于加强禁毒执法工作。

本条第二款是关于地方人民政府公安机关可以与有关国家或者地区的执法机关开展执法合作的规定。

禁毒工作的重点在基层，特别是在一些临近国际毒品生产区的边境地区，如云南、广西、新疆等地，这些地方的公安机关通过国际禁毒情报交流和执法合作，多次联合破获贩毒案件，有效地打击了跨国毒品犯罪活动。因此，本条规定，经国务院公安部门批准，边境地区县级以上人民政府公安机关可以与有关国家或者地区的执法机关开展执法合作。由于与有关国家或者地区的执法机关开展执法合作涉及我国的主权，而且许多跨国毒品犯罪隐藏较深、组织严密、活动范围广，需要国务院公安部门统揽全局，作出部署，协调各方面的力量，特别是与有关国家或者地区进行沟通,才能保证工作的顺利进行。因此,本条规定,地方公安机关与有关国家或者地区的执法机关开展执法合作,必须得到国务院公安部门的批准。

第五十七条　通过禁毒国际合作破获毒品犯罪案件的,中华人民共和国政府可以与有关国家分享查获的非法所得、由非法所得获得的收益以及供毒品犯罪使用的财物或者财物变卖所得的款项。

【释义】　本条是关于通过禁毒国际合作破获毒品犯罪案件可以与有关国家分享涉案财物的规定。

为了加强国际禁毒合作,有效地打击毒品犯罪,我国于1989年9月批准加入了《联合国禁止非法贩运麻醉药品和精神药物公约》,2003年8月批准加入了《联合国打击跨国有组织犯罪公约》。在进行国际合作惩治毒品犯罪的过程中,在抓捕或者依法惩治毒品犯罪分子的同时,会遇到处理查获的非法所得、由非法所得获得的收益以及供毒品犯罪使用的财物或者财物变卖所得的款项的问题。本条对此作出了相应的规定。

根据本条的规定,通过禁毒国际合作破获毒品犯罪案件的,中华人民共和国政府可以与有关国家分享查获的非法所得、由非法所得获得的收益以及供毒品犯罪使用的财物或者财物变卖所得的款项。作出该规定的考虑主要有以下几点:一是《联合国打击跨国有组织犯罪公约》对犯罪的非法所得及其收益如何处理已有相应的规定,该公约规定,缔约国可以根据本国法律或行政程序,经常地或逐案地与其他缔约国分享犯罪所得或财产或变卖这类犯罪所得或财产所获款项。二是从禁毒国际合作的实践看，通过禁毒国际合作请求有关国家提供协助时或者在合作破获毒品犯罪后，有关国家往往会提出分享犯罪所得的要求。分享犯罪所得等涉案财物是符合对等原则的，本条规定为分享涉案财物提供了国内法依据，有利于顺利开展禁毒国际合作。

第五十八条 国务院有关部门根据国务院授权，可以通过对外援助等渠道，支持有关国家实施毒品原植物替代种植、发展替代产业。

【释义】 本条是关于开展替代种植、发展替代产业的禁毒国际合作的规定。

本条规定的“替代种植”是指在毒品原植物种植较集中的区域，用种植粮食、经济作物的方法替代毒品原植物种植，以达到降低毒品产量的一种禁毒措施。“替代产业”是指与替代种植相关的产品生产、加工、出口等行业。毒品原植物种植处于整个毒品交易链条的最底端，毒品原植物种植为加工、制造毒品提供原材料。发展毒品替代种植和替代产业，就是要从种植根源上减少毒品供应，从源头上解决毒品问题。1998 年，我国政府代表在联合国大会禁毒特别会议上郑重宣布，将毒品替代发展作为中国开展禁毒国际合作的重要内容之一，提出要“重视替代发展”，并指出：“保障毒品种植地区人民生活，促进种植国经济发展，是从根本上解决毒品问题的关键。国际社会应为替代发展提供必要的资金和技术援助。”

从20世纪90年代开始，中国政府通过各种形式帮助一些邻国发展替代种植，取得了一定成效。2006年，国务院设立2.5亿元替代发展专项资金，商务部、公安部等部门组成的专门工作小组向缅北禁种烟民提供1万吨粮食和医疗援助，推动了该地区罂粟种植面积持续大幅减少。根据联合国报告提供的数据，2006年缅甸罂粟种植面积为2.15万公顷，同比下降32%，鸦片潜在产量为315吨，为历史最低。发展替代种植产业，不仅堵截了流入我国毒品的境外来源，同时帮助当地居民提高了经济收入，获得了良好的社会效益。因此，在禁毒法中将发展毒品替代种植作为禁毒国际合作的一项重要内容予以规定，意义重大。

根据本条规定，实施替代种植国际合作的主体为国务院有关部门，从目前的实际做法看，我国参与支持有关国家实施毒品原植物替代种植、发展替代产业的国务院有关部门有公安、农业、财政、商务等部门。上述各部门在国务院的授权范围内，通过对外援助等形式，从资金、技术、市场、关税等方面支持相关国家实施毒品原植物的替代种植、发展替代产业。从具体实施方式上而言，除建立对外援助的专项资金外，我国政府还为这些国家提供农作物种子和幼苗，培训农业技术人员，并为替代种植农产品的返销创造国内市场和税收优惠条件。目前与我国建立了替代种植合作关系的国家主要有老挝、缅甸、越南、泰国、柬埔寨等。替代种植作物主要有水稻、玉米、荞麦等粮食作物，热带水果、甘蔗、橡胶等经济作物以及香料、茶叶、豆类、咖啡、柠檬、剑麻等作物。相关替代产业包括橡胶加工业、水果加工业、制糖业等。

第六章　法律责任

第五十九条　有下列行为之一，构成犯罪的，依法追究刑事责任；尚不构成犯罪的，依法给予治安管理处罚：

（一）走私、贩卖、运输、制造毒品的；

（二）非法持有毒品的；

（三）非法种植毒品原植物的；

（四）非法买卖、运输、携带、持有未经灭活的毒品原植物种子或者幼苗的；

（五）非法传授麻醉药品、精神药品或者易制毒化学品制造方法的；

（六）强迫、引诱、教唆、欺骗他人吸食、注射毒品的；

（七）向他人提供毒品的。

【释义】　本条是关于涉毒违法犯罪行为法律责任的规定。

根据我国的法律规定，对涉毒犯罪行为应当依据刑法的有关规定追究行为人刑事责任；对涉毒违法行为应当依据治安管理处罚法给予行政处罚。本条再次重申，对有本条规定七种行为之一，构成犯罪的，追究行为人刑事责任；尚不构成犯罪的，依法给予治安管理处罚。

（一）走私、贩卖、运输、制造毒品

根据刑法第三百四十七条的规定，走私、贩卖、运输、制造毒品，无论数量多少，都应当追究刑事责任，予以刑事处罚。

刑法第三百四十七条第二款规定，走私、贩卖、运输、制造鸦片一千克以上、海洛因或者甲基苯丙胺五十克以上或者其他毒品数量大的；走私、贩卖、运输、制造毒品集团的首要分子；武装掩护走私、贩卖、运输、制造毒品的；以暴力抗拒检查、拘留、逮捕，情节严重的；参与有组织的国际贩毒活动的，处十五年有期徒刑、无期徒刑或者死刑，并处没收财产。根据最高人民法院2000年公布的《关于审理毒品案件定罪量刑标准有关问题的解释》的规定，上述“其他毒品数量大”，具体是指：（1）苯丙胺类毒品（甲基苯丙胺除外）一百克以上；（2）大麻油五千克、大麻脂十千克、大麻叶及大麻烟一百五十千克以上；（3）可卡因五十克以上；（4）吗啡一百克以上；（5）度冷丁（杜冷丁）二百五十克以上（针剂100mg/支规格的二千五百支以上，50mg/支规格的五千支以上；片剂25mg/片规格的一万片以上，50mg/片规格的五千片以上）；（6）盐酸二氢埃托啡十毫克以上（针剂或者片剂20μg/支、片规格的五百支、片以上）；（7）咖啡因二百千克以上；（8）罂粟壳二百千克以上；（9）上述毒品以外的其他毒品数量大的等情形。

刑法第三百四十七条第三款规定，走私、贩卖、运输、制造鸦片二百克以上不满一千克、海洛因或者甲基苯丙胺十克以上不满五十克或者其他毒品数量较大的，处七年以上有期徒刑，并处罚金。根据上述司法解释，“其他毒品数量较大”是指:(1)苯丙胺类毒品(甲基苯丙胺除外)二十克以上不满一百克;(2)大麻油一千克以上不满五千克,大麻脂二千克以上不满十千克,大麻叶及大麻烟三十千克以上不满一百五十千克;(3)可卡因十克以上不满五十克;(4)吗啡二十克以上不满一百克;(5)度冷丁(杜冷丁)五十克以上不满二百五十克(针剂100mg/支规格的五百支以上不满二千五百支,50mg/支规格的一千支以上不满五千支;片剂25mg/片规格的二千片以上不满一万片,50mg/片规格的一千片以上不满五千片);(6)盐酸二氢埃托啡二毫克以上不满十毫克(针剂或者片剂20μg/支、片规格的一百支、片以上不满五百支、片);(7)咖啡因五十千克以上不满二百千克;(8)罂粟壳五十千克以上不满二百千克;(9)上述毒品以外的其他毒品数量较大的等情形。

刑法第三百四十七条第四款规定,走私、贩卖、运输、制造鸦片不满二百克、海洛因或者甲基苯丙胺不满十克或者其他少量毒品的,处三年以下有期徒刑、拘役或者管制,并处罚金;情节严重的,处三年以上七年以下有期徒刑,并处罚金。根据上述司法解释的规定,"情节严重"是指:(1)走私、贩卖、运输、制造鸦片一百四十克以上不满二百克、海洛因或者甲基苯丙胺七克以上不满十克或者其他数量相当毒品的;(2)国家工作人员走私、制造、运输、贩卖毒品的;(3)在戒毒监管场所贩卖毒品的;(4)向多人贩毒或者多次贩毒的;(5)其他情节严重的行为。

这里所规定的"走私",是指违反海关法及有关法律、行政法规，逃避海关监管，运输、携带、邮寄毒品进出境的行为。“贩卖”是指非法出售毒品的行为；以出售为目的收买毒品的，也属于贩卖毒品。“运输”是指利用飞机、火车、汽车、轮船等交通工具或者随身携带的方法，将毒品从一地运往另一地的行为。“制造”是指非法从毒品原植物中提炼毒品或者利用化学分解、合成等方法制成毒品的行为。需要说明的是，禁毒法第二条第二款规定，根据医疗、教学、科研的需要，依法可以生产、经营、使用、储存、运输麻醉药品和精神药品。对因医疗、教学、科研需要，依照法律规定生产、运输、销售麻醉药品、精神药品的，不属于运输、贩卖、制造毒品犯罪。

（二）非法持有毒品

根据刑法第三百四十八条规定，非法持有鸦片一千克以上、海洛因或者甲基苯丙胺五十克以上或者其他毒品数量大的，处七年以上有期徒刑或者无期徒刑，并处罚金；非法持有鸦片二百克以上不满一千克、海洛因或者甲基苯丙胺十克以上不满五十克或者其他毒品数量较大的，处三年以下有期徒刑、拘役或者管制，并处罚金；情节严重的，处三年以上七年以下有期徒刑，并处罚金。按照有关司法解释的规定，这里的“其他毒品数量大的”和“其他毒品数量较大的”含义与上述刑法第三百四十七条的规定相同。

对非法持有鸦片不满二百克、海洛因或者甲基苯丙胺不满十克或者其他少量毒品，尚不构成犯罪的行为，根据治安管理处罚法第七十二条的规定，处十日以上十五日以下拘留，可以并处二千元以下罚款；情节较轻的，处五日以下拘留或者五百元以下罚款。

(三)非法种植毒品原植物

本法第十九条、第二十条确立了对麻醉药品药用原植物的种植实行管制的原则。第十九条规定,禁止非法种植罂粟、古柯植物、大麻植物以及国家规定管制的可以用于提炼加工毒品的其他原植物。第二十条则规定,由国家确定的企业按照国家有关规定种植麻醉药品药用原植物。

违反上述规定构成犯罪的,可以依据刑法第三百五十一条追究行为人的刑事责任。刑法第三百五十一条规定,非法种植罂粟、大麻等毒品原植物的,一律强制铲除。有下列情形之一的,处五年以下有期徒刑、拘役或者管制,并处罚金:(1)种植罂粟五百株以上不满三千株或者其他毒品原植物数量较大的;(2)经公安机关处理后又种植的;(3)抗拒铲除的。非法种植罂粟三千株以上或者其他毒品原植物数量大的,处五年以上有期徒刑,并处罚金或者没收财产。非法种植罂粟或者其他毒品原植物,在收获前自动铲除的,可以免除处罚。司法解释对这条规定中的"数量较大"和"数量大"分别作出了解释,其中非法种植大麻五千株以上不满三万株,应当认定为非法种植大麻"数量较大";非法种植大麻三万株以上,应当认定为非法种植大麻"数量大"。

对非法种植罂粟不满五百株或者其他少量毒品原植物的,根据治安管理处罚法第七十一条第一款第一项的规定,处十日以上十五日以下拘留,可以并处三千元以下罚款;情节较轻的,处五日以下拘留或者五百元以下罚款。该条第二款同时作出规定，种植罂粟不满五百株或者其他少量毒品原植物，在成熟前自行铲除的，不予处罚。

（四）非法买卖、运输、携带、持有未经灭活的毒品原植物种子或者幼苗

刑法第三百五十二条规定，非法买卖、运输、携带、持有未经灭活的罂粟等毒品原植物种子或者幼苗，数量较大的，处三年以下有期徒刑、拘役或者管制，并处或者单处罚金。治安管理处罚法第七十一条第一款第二项规定，非法买卖、运输、携带、持有少量未经灭活的罂粟等毒品原植物种子或者幼苗的，处十日以上十五日以下拘留，可以并处三千元以下罚款；情节较轻的，处五日以下拘留或者五百元以下罚款。

（五）非法传授麻醉药品、精神药品或者易制毒化学品制造方法

本法第二十四条规定，禁止非法传授麻醉药品、精神药品和易制毒化学品的制造方法。对非法传授麻醉药品、精神药品和易制毒化学品的制造方法构成犯罪的，可以依据刑法第二百九十五条的规定，以传授犯罪方法罪追究行为人的刑事责任，处五年以下有期徒刑、拘役或者管制；情节严重的，处五年以上有期徒刑；情节特别严重的，处无期徒刑或者死刑。

（六）强迫、引诱、教唆、欺骗他人吸食、注射毒品

强迫、引诱、教唆、欺骗他人吸食、注射毒品，不仅严重损害吸毒人员身心健康，而且导致毒品蔓延，具有较大的社会危害性。刑法和治安管理处罚法对这些行为规定了严格的法律责任。强迫他人吸毒行为相对于后几种行为而言，主观恶性

更大，社会危害性更严重，因此，刑法第三百五十三条第二款对其规定了相对较重的刑罚，该款规定，强迫他人吸食、注射毒品的，处三年以上十年以下有期徒刑，并处罚金。“强迫”是指违背他人意愿，使用暴力、胁迫或者其他手段，迫使他人吸食、注射毒品的行为。刑法第三百五十三条第一款规定，引诱、教唆、欺骗他人吸食、注射毒品的，处三年以下有期徒刑、拘役或者管制，并处罚金；情节严重的，处三年以上七年以下有期徒刑，并处罚金。其中“引诱、教唆”是指向他人传授吸毒体验，示范吸毒方法或者使用其他方法诱惑他人吸食毒品的行为；“欺骗”是指在他人不知情的情况下，给其吸食或者注射毒品的行为。刑法第三百五十三条同时规定，对引诱、教唆、欺骗或者强迫未成年人吸食、注射毒品的，从重处罚。关于强迫、引诱、教唆、欺骗他人吸食、注射毒品的行政处罚，治安管理处罚法第七十三条规定，对教唆、引诱欺骗他人吸食、注射毒品的，处十日以上十五日以下拘留，并处五百元以上二千元以下罚款。

（七）向他人提供毒品

向他人提供毒品的行为与第一项规定的贩卖毒品不同，通常不以盈利为目的，也不需要对方支付对价，因此，相对于贩卖毒品而言，责任相对较轻。刑法第三百五十五条规定，依法从事生产、运输、管理、使用国家管制的麻醉药品、精神药品的人员，违反国家规定，向吸食、注射毒品的人提供国家规定管制的能够使人形成瘾癖的麻醉药品、精神药品的，处三年以下有期徒刑或者拘役，并处罚金；情节严重的，处三年以上七年以下有期徒刑，并处罚金。向走私、贩卖毒品的犯罪分子或者以牟利为目的，向吸食、注射毒品的人提供国家规定管制的能够使人形成瘾癖的麻醉药品、精神药品的，依照刑法第三百四十七条关于贩卖毒品的规定定罪处罚。对吸毒人员互相之间，不以支付对价为交换形式的提供毒品行为，可以根据治安管理处罚法第七十二条第二项的规定，对向他人提供毒品的行为人，处十日以上十五日以下拘留，可以并处二千元以下罚款；情节较轻的，处五日以下拘留或者五百元以下罚款。

第六十条　有下列行为之一，构成犯罪的，依法追究刑事责任；尚不构成犯罪的，依法给予治安管理处罚：

（一）包庇走私、贩卖、运输、制造毒品的犯罪分子，以及为犯罪分子窝藏、转移、隐瞒毒品或者犯罪所得财物的；

（二）在公安机关查处毒品违法犯罪活动时为违法犯罪行为人通风报信的；

（三）阻碍依法进行毒品检查的；

（四）隐藏、转移、变卖或者损毁司法机关、行政执法机关依法扣押、查封、冻结的涉及毒品违法犯罪活动的财物的。

【释义】　本条是关于妨碍有关机关毒品查禁工作行为的法律责任的规定。

对妨碍有关机关查禁毒品违法犯罪行为的刑事责任和治安行政处罚，我国刑法和治安管理处罚法作了明确规定。本条重申，对所列的四种行为构成犯罪或者违反治安管理处罚的，分别追究刑事责任或者给予治安管理处罚。

(一)包庇走私、贩卖、运输、制造毒品的犯罪分子,以及为犯罪分子窝藏、转移、隐瞒毒品或者毒品犯罪所得财物

刑法第三百四十九条规定,包庇走私、贩卖、运输、制造毒品的犯罪分子的,为犯罪分子窝藏、转移、隐瞒毒品或者犯罪所得的财物的,处三年以下有期徒刑、拘役或者管制;情节严重的,处三年以上十年以下有期徒刑。缉毒人员或者其他国家机关工作人员掩护、包庇走私、贩卖、运输、制造毒品的犯罪分子的,依照前款的规定从重处罚。犯前两款罪,事先通谋的,以走私、贩卖、运输、制造毒品罪的共犯论处。这里的"包庇"是指采取窝藏犯罪分子或者作假证明等方法,帮助犯罪分子逃避法律追究的行为;"窝藏、转移、隐瞒"是指使用藏匿、变换存放地点、在司法机关追查毒品和赃物,向其询问时,故意不讲毒品或者毒品犯罪所得财物隐藏地点等手段,妨碍司法机关查处毒品违法犯罪的行为。对有上述行为,尚不构成犯罪的,可依据治安管理处罚法第六十条第(二)项、第(三)项规定,对行为人处五日以上十日以下拘留,并处二百元以上五百元以下罚款。

(二)在公安机关查处毒品违法犯罪活动时,为违法犯罪行为人通风报信

刑法第四百一十七条规定,有查禁犯罪活动职责的国家机关工作人员,向犯罪分子通风报信、提供便利,帮助犯罪分子逃避处罚的,处三年以下有期徒刑或者拘役;情节严重的,处三年以上十年以下有期徒刑。该条规定的主体为特殊主体,即有查禁犯罪活动职责的国家机关工作人员,包括有查禁

毒品犯罪职责的公安机关、检察机关、审判机关等司法工作人员。“通风报信”是指上述人员故意泄露或者直接告知犯罪分子有关部门查禁活动的部署、措施、时间、地点等活动信息，以帮助其逃避打击。治安管理处罚法第七十四条规定，旅馆业、饮食服务业、文化娱乐业、出租汽车业等单位的人员，在公安机关查处吸毒活动时，为违法犯罪行为人通风报信的，处十日以上十五日以下拘留。

（三）阻碍依法进行毒品检查

毒品检查是缉毒工作的重要手段，通过毒品检查能够及时发现和制止毒品违法犯罪行为，采取相关控制措施，有效防止毒品的扩散和传播。本法第二十六条规定，公安机关根据查缉毒品的需要，可以在边境地区、交通要道、口岸以及机场、车站、码头等地点进行毒品检查。关于阻碍毒品检查行为的法律责任，刑法第二百七十七条规定，以暴力、威胁方法阻碍国家机关工作人员依法执行职务的，处三年以下有期徒刑、拘役、管制或者罚金。治安管理处罚法第五十条规定，对阻碍国家机关工作人员依法执行职务的行为，处警告或者二百元以下罚款；情节严重的，处五日以上十日以下拘留，可以并处五百元以下罚款。阻碍人民警察依法执行职务的，从重处罚。

（四）隐藏、转移、变卖或者损毁司法机关、行政机关依法扣押、查封、冻结的涉及毒品违法犯罪活动的财物

刑法第三百一十四条规定，隐藏、转移、变卖、故意损毁已经被司法机关查封、扣押、冻结的财产，情节严重的，处三年以下有期徒刑、拘役或者罚金。对于尚不构成犯罪的，可依据治

安管理处罚法第六十条的规定,处五日以上十日以下拘留,并处二百元以上五百元以下罚款。这里所规定的涉及毒品违法犯罪活动的财物,主要包括依法查获的毒品,吸食、注射毒品的用具,毒品违法犯罪的非法所得及其收益,以及直接用于实施毒品违法犯罪行为的本人所有的工具、设备、资金等物品等。

第六十一条 容留他人吸食、注射毒品或者介绍买卖毒品,构成犯罪的,依法追究刑事责任;尚不构成犯罪的,由公安机关处十日以上十五日以下拘留,可以并处三千元以下罚款;情节较轻的,处五日以下拘留或者五百元以下罚款。

【释义】 本条是关于容留他人吸食、注射毒品和介绍买卖毒品的法律责任的规定。

容留他人吸食、注射毒品和介绍买卖毒品的行为具有严重社会危害性。一方面,这种行为为吸毒人员购买、吸食毒品提供便利,导致毒品蔓延;另一方面,行为人通常会采取各种手段帮助吸毒、贩毒人员逃避毒品查处,包庇毒品违法犯罪行为,给缉毒工作制造障碍。对上述行为应当依据有关法律规定追究行为人法律责任。

"容留他人吸食、注射毒品"的行为构成犯罪的,根据刑法第三百五十四条的规定,对行为人处三年以下有期徒刑、拘役或者管制,并处罚金。这里规定的"容留",是指为他人吸毒提供场所,包括私人住房以及酒吧、舞厅等经营场所。对于容留他人吸食、注射毒品尚不构成犯罪的,根据本条规定,由公安机关处十日以上十五日以下拘留,可以并处三千元以下罚款;情节较轻的,处五日以下拘留或者五百元以下罚款。

“介绍买卖毒品”行为应区别不同情况处理,如果行为人明知某人贩卖毒品,仍协助其寻找客源,兜售毒品,应以贩卖毒品罪的共犯论处,依据刑法第三百四十七条的规定追究行为人刑事责任。如果只是介绍买卖极少量的毒品为了“过过瘾”,可以依法给予行政处罚,根据本条规定,由公安机关处十日以上十五日以下拘留,可以并处三千元以下罚款;情节较轻的,处五日以下拘留或者五百元以下罚款。

第六十二条　吸食、注射毒品的,依法给予治安管理处罚。吸毒人员主动到公安机关登记或者到有资质的医疗机构接受戒毒治疗的,不予处罚。

【释义】 本条是关于吸毒行为法律责任的规定。

吸食、注射毒品不仅严重损害吸毒人员自身的身心健康,由于吸毒引发的犯罪等社会问题也引起了人们越来越广泛的关注,如何综合治理毒品问题,帮助吸毒人员戒除毒瘾也成为政府部门的一项重要工作内容。考虑到吸毒人员既是违法者,也是毒品受害者,政府应当帮助其戒除毒瘾,回归正常社会生活。本法第三十一条规定,国家采取各种措施帮助吸毒人员戒除毒瘾,教育和挽救吸毒人员。《联合国禁止非法贩运麻醉药品和精神药物公约》也规定,在性质轻微的适当案件中,缔约国可规定作为定罪或惩罚的替代办法,采取诸如教育、康复或回归社会等措施。因此,本条一方面规定禁止吸毒,对吸毒行为进行治安处罚,另一方面也倡导吸毒人员主动登记、接受戒毒治疗,对主动戒毒的吸毒人员不予处罚。这样,鼓励吸毒人员主动接受帮助,戒除毒瘾。

根据本条规定,吸食、注射毒品的,依法给予治安管理处罚。根据治安管理处罚法第七十二条第(二)项的规定,对吸食、注射毒品的行为,处十日以上十五日以下拘留,可以并处二千元以下罚款;情节较轻的,处五日以下拘留或者五百元以下罚款。

根据本条规定,吸毒人员主动到公安机关登记或者到有资质的医疗机构接受戒毒治疗的,不予处罚。这样规定是与禁毒法第三十一条规定的教育和挽救吸毒人员的宗旨相吻合的。根据禁毒法第三十二条第二款的规定,公安机关应当对吸毒人员进行登记。将吸毒人员登记在册,是针对其开展戒毒工作以及其他管理工作的基础。禁毒法第三十六条规定,吸毒人员可以自行到具有戒毒治疗资质的医疗机构接受戒毒治疗。国家鼓励吸毒人员自行戒毒。吸毒人员主动到公安机关登记,或者主动到有资质的治疗机构接受戒毒治疗,表明了其希望摆脱毒品的愿望,应当予以鼓励,故应对其免除治安管理处罚。

第六十三条　在麻醉药品、精神药品的实验研究、生产、经营、使用、储存、运输、进口、出口以及麻醉药品药用原植物种植活动中,违反国家规定,致使麻醉药品、精神药品或者麻醉药品药用原植物流入非法渠道,构成犯罪的,依法追究刑事

责任；尚不构成犯罪的，依照有关法律、行政法规的规定给予处罚。

【释义】 本条是对违反国家麻醉药品、精神药品以及麻醉药品药用原植物种植管制规定行为的法律责任的规定。

国家对麻醉药品、精神药品以及麻醉药品药用原植物的种植实行严格管制。本法在第三章“毒品管制”中，分别对麻醉药品药用原植物种植以及麻醉药品、精神药品的实验研究、生产、经营、使用、储存、运输、进出口管制措施作了规定，第二十三条规定了流失上述物品的报告制度等。本条从刑事责任和行政责任两个方面对违反国家麻醉药品、精神药品以及麻醉药品药用原植物种植管制规定的行为规定了法律责任。

在麻醉药品、精神药品的实验研究、生产、经营、使用、储存、运输、进口、出口以及麻醉药品药用原植物种植活动中，违反国家规定，致使麻醉药品、精神药品或者麻醉药品药用原植物流入非法渠道，构成犯罪的，依法追究刑事责任。本条规定的行为主体通常是特殊主体，即在麻醉药品、精神药品的实验研究、生产、经营、使用、储存、运输、进口、出口以及麻醉药品药用原植物种植活动中负有特定职责的人员。“致使麻醉药品、精神药品或者麻醉药品药用原植物流入非法渠道”，主要是指由于上述人员违反国家规定，如工作中玩忽职守或严重不负责任，致使麻醉药品、精神药品或者麻醉药品药用原植物发生被盗、被抢、丢失或者其他流入非法渠道的情形，如果情节严重依照刑法规定构成玩忽职守罪的，应当依照刑法第三百九十七条的规定，处三年以下有期徒刑或者拘役；情节特别严重的，处三年以上七年以下有期徒刑。二是根据刑法第三百五十五条的规定，依法从事生产、运输、管理、使用国家管制的麻醉药品、精神药品的人员，违反国家规定，向吸食、注射毒品的人提供国家规定管制的能够使人形成瘾癖的麻醉药品、精神药品的，处三年以下有期徒刑或者拘役，并处罚金；情节严重的，处三年以上七年以下有期徒刑，并处罚金。实施此种行为，行为人主观上不以盈利为目的。如果上述行为人以牟利为目的，向吸食、注射毒品的人提供国家规定管制的能够使人形成瘾癖的麻醉药品、精神药品的，应当依照刑法第三百四十七条的规定以贩卖毒品罪定罪处罚。

在麻醉药品、精神药品的实验研究、生产、经营、使用、储存、运输、进口、出口以及麻醉药品药用原植物种植活动中，违反国家规定，致使麻醉药品、精神药品或者麻醉药品药用原植物流入非法渠道，尚不构成犯罪的，依照有关法律、行政法规的规定给予处罚。根据《麻醉药品和精神药品管理条例》第八十二条的规定，对违反该条例的规定，致使麻醉药品和精神药品流入非法渠道造成危害，尚不构成犯罪的，由县级以上公安机关处五万元以上十万元以下的罚款；有违法所得的，没收违法所得；情节严重的，处违法所得二倍以上五倍以下的罚款；由原发证部门吊销其药品生产、经营和使用许可证明文件。

第六十四条　在易制毒化学品的生产、经营、购买、运输或者进口、出口活动中，违反国家规定，致使易制毒化学品流

入非法渠道，构成犯罪的，依法追究刑事责任；尚不构成犯罪的，依照有关法律、行政法规的规定给予处罚。

【释义】 本条是关于违反国家易制毒化学品管理规定，致使易制毒化学品流入非法渠道行为的法律责任的规定。

由于易制毒化学品有可能成为制造毒品的原料和辅助配剂，本法第二十一条、第二十二条、第二十三条对易制毒化学品规定了严格的管理措施，国务院《易制毒化学品管理条例》对易制毒化学品的生产、经营、购买、运输和进口、出口等各个环节也作了具体的管理规定。本条从刑事责任和行政责任两个方面对违反国家关于易制毒化学品管制规定的行为规定了法律责任。

在易制毒化学品生产、经营、购买、运输或者进口、出口活动中，违反国家规定，致使易制毒化学品流入非法渠道，构成犯罪的，依法追究刑事责任。主要包括以下几种情况：一是由于玩忽职守或严重不负责任，违反有关规定和要求，如未按规定进行运输、保管等，致使易制毒化学品被盗、被抢或者丢失，情节严重，依照刑法规定构成有关犯罪的，应当依照刑法有关规定追究刑事责任。二是依照刑法规定，构成走私制毒物品罪和非法买卖制毒物品罪的，如违反国家规定，非法运输、携带醋酸酐、乙醚、三氯甲烷或者其他用于制造毒品的原料或者配剂进出境的，或者违反国家规定，在境内非法买卖上述物品的，依法追究刑事责任。根据最高人民法院 2000 年发布的《关于审理毒品案件定罪量刑标准有关问题的解释》第四条的规定，非法运输、携带进出境或在境内非法买卖醋酸酐、乙醚、三氯甲烷或者其他用于制造毒品的原料或者配剂达到下列数量标准的，依照刑法第三百五十条第一款的规定定罪处罚：(1)麻黄碱、伪麻黄碱及其盐类和单方制剂五千克以上不满五十千克；麻黄浸膏、麻黄浸膏粉一百千克以上不满一千千克；(2)醋酸酐、三氯甲烷二百千克以上不满二千千克；(3)乙醚四百千克以上不满三千千克；(4)上述原料或者配剂以外其他相当数量的用于制造毒品的原料或者配剂。超过前款所列数量标准的，应当认定为刑法第三百五十条第一款规定的"数量大"。三是如果行为人明知他人制造毒品，仍为其提供易制毒化学品，并从中盈利的，应当作为制造毒品罪的共犯，依照刑法第三百四十七条的规定，以制造毒品罪定罪处罚。

在易制毒化学品生产、经营、购买、运输或者进口、出口活动中，违反国家规定，致使易制毒化学品流入非法渠道，尚不构成犯罪，依照有关法律、行政法规的规定给予处罚。《易制毒化学品管理条例》第四十条规定，对虽然取得了行政许可，但生产经营活动中违反了条例有关规定的，由负有监督管理职责的行政主管部门给予警告，责令限期改正，处一万元以上五万元以下的罚款；对违反规定生产、经营、购买的易制毒化学品可以予以没收；逾期不改正的，责令限期停产停业整顿；逾期整顿不合格的，吊销相应的许可证。除此之外，商务部颁布的《易制毒化学品进出口管理规定》、公安部颁布的《易制毒化学品购销和运输管理办法》、国家安全生产监督管理总局颁布的《非药品类易制毒化学品生产、经营许可办法》等行政规章中对易制毒化学品的进出口、运输以及生产行为也有相应的规范。

第六十五条　娱乐场所及其从业人员实施毒品违法犯罪行为，或者为进入娱乐场所的人员实施毒品违法犯罪行为提供条件，构成犯罪的，依法追究刑事责任；尚不构成犯罪的，依照有关法律、行政法规的规定给予处罚。

娱乐场所经营管理人员明知场所内发生聚众吸食、注射毒品或者贩毒活动，不向公安机关报告的，依照前款的规定给予处罚。

【释义】　本条是关于娱乐场所及其从业人员、经营管理人员实施毒品违法犯罪行为、为他人实施毒品违法犯罪行为提供条件或者对他人在其经营的场所内实施毒品违法犯罪行为隐瞒不报的法律责任的规定。共分为两款。

娱乐场所属于公共场所，人员复杂、流动性大，易发生各类毒品违法犯罪活动。娱乐场所的禁毒是社会禁毒活动的一个重要的战场，对娱乐场所及其从业人员涉及毒品的违法犯罪行为的法律责任，有必要作出专门的规定。

本条第一款是关于娱乐场所及其从业人员实施毒品违法犯罪行为或者为他人在其经营的场所内实施毒品违法犯罪行为提供条件的，依法追究法律责任的规定。本条规定的“娱乐场所”，是指国务院《娱乐场所管理条例》规定的，以营利为目的，并向公众开放、消费者自娱自乐的歌舞、游艺等场所。“从业人员”包括娱乐场所的管理人员、服务人员、保安人员和在娱乐场所工作的其他人员。这里规定的“毒品违法犯罪行为”,是指与毒品直接有关的违法犯罪行为,如贩卖、非法持有、向他人提供毒品的,引诱、胁迫、欺骗、容留他人吸食、注射毒品的,吸食、注射毒品的等。本款规定了两种追究娱乐场所及其从业人员法律责任的情况:一是娱乐场所及其从业人员实施毒品违法犯罪活动的,如有的歌舞厅等娱乐场所为了招揽顾客、牟取暴利等目的,不惜铤而走险,进行贩卖、向他人提供毒品等违法犯罪活动,有的甚至引诱、教唆、欺骗他人吸食、注射毒品,还有的从业人员本身就吸食、注射毒品;二是为进入娱乐场所的人员实施毒品违法犯罪行为提供条件的,这里所说的提供条件主要是指虽然本人不直接进行毒品违法犯罪活动,但为进行毒品违法犯罪的人员提供场所、工具、设备等方便条件。

根据刑法和治安管理处罚法的规定,娱乐场所及其从业人员实施本款所列上述行为的,应当分别以下情况追究法律责任:

1. 有制造、贩卖、非法持有毒品等行为,引诱、教唆、欺骗、强迫、容留他人吸食、注射毒品行为,构成犯罪的,依照刑法有关毒品犯罪的规定追究刑事责任;

2. 有上述行为,尚不构成犯罪的,依照治安管理处罚法的有关规定给予治安处罚;

3. 依照有关行政法规的规定给予处罚,其中《娱乐场所管理条例》第十四条明确规定:娱乐场所及其从业人员不得贩卖、提供毒品,或者组织、强迫、教唆、引诱、欺骗、容留他人吸食、注射毒品;不得吸食、注射毒品;不得为进入娱乐场所的人员实施上述行为提供条件。第四十二条规定：娱乐场所实施本条例第十四条禁止行为的，由县级公安部门没收违法所得和非法财物，责令停业整顿三个月至六个月；情节严重的，由原发证机关吊销娱乐经营许可证，对直接负责的主管人员和其他直接责任人员处一万元以上二万元以下的罚款。

本条第二款是关于娱乐场所经营管理人员明知场所内有聚众吸食、注射毒品或者贩毒活动而不报告的处罚规定。这里规定的“娱乐场所经营管理人员”是指娱乐场所的投资人、法定代表人、经理或者其他具体负责日常经营和管理的人员。本法第十五条规定，娱乐场所的经营者、管理者，负责本场所的禁毒宣传教育，落实禁毒防范措施，预防毒品违法犯罪行为在本场所内发生。第二十七条规定，娱乐场所应当建立巡查制度，发现有毒品违法犯罪活动的，应当立即向公安机关报告。《娱乐场所管理条例》也有相关的规定。根据本款规定，娱乐场所的经营管理人员对于发生在本场所内的聚众吸食、注射毒品活动不报告的，依其违法行为情节的轻重，按照本条第一款规定的原则予以处罚，即构成犯罪的，依照刑法有关规定追究刑事责任；尚不构成犯罪的，依照治安管理处罚法和有关法律规定予以行政处罚：

1. 明知在本场所内有贩毒等犯罪活动，而包庇犯罪分子，为犯罪分子窝藏、转移、隐瞒毒品或者犯罪所得的财物的，依照刑法第三百四十九条的规定定罪处罚；

2. 明知在本场所内有聚众吸毒活动，在公安机关查处时，为违法分子通风报信的，依照治安管理处罚法第七十四条的规定予以治安管理处罚；

3. 明知在本场所内有聚众吸毒、贩毒活动，但采取听之任之、不予制止的态度，也不向公安机关报告的，由公安机关依照《娱乐场所管理条例》等有关行政法规的规定，予以停业整顿、罚款等行政处罚。

第六十六条 未经批准，擅自从事戒毒治疗业务的，由卫生行政部门责令停止违法业务活动，没收违法所得和使用的药品、医疗器械等物品；构成犯罪的，依法追究刑事责任。

【释义】 本条是对擅自从事戒毒治疗业务的处罚规定。

根据本法和国务院有关部门的规定，从事戒毒治疗业务需要经过批准，任何单位和个人未经批准不得擅自从事戒毒治疗业务。这主要是为了加强对戒毒治疗机构的管理，保证戒毒治疗机构有符合规定的条件和设施，遵守有关戒毒治疗的规范和要求，遵守有关戒毒药品的管理规定等，从而保证戒毒人员能够获得切实可靠的治疗效果，保障戒毒人员的安全。

本条规定的“擅自从事戒毒治疗业务”，是指违反国家有关规定，未经依法批准而对吸毒人员进行戒毒治疗的行为。根据本法规定，未经批准，擅自从事戒毒治疗业务的，由卫生行政部门责令停止违法业务活动，没收违法所得和使用的药品、医疗器械等物品；构成犯罪的，依法追究刑事责任。这里规定的“构成犯罪”主要是指没有医生资格而非法行医为他人戒毒的，要依照刑法第三百三十六条的规定定罪处罚。对没有经过批准而以戒毒治疗的名义为他人提供毒品牟利的，要依照刑法有关毒品犯罪的规定处罚。

第六十七条　戒毒医疗机构发现接受戒毒治疗的戒毒人员在治疗期间吸食、注射毒品，不向公安机关报告的，由卫生行政部门责令改正；情节严重的，责令停业整顿。

【释义】　本条是关于戒毒医疗机构发现接受戒毒治疗的戒毒人员吸毒不及时向公安机关报告的法律责任的规定。

本法第三十六条规定，吸毒人员可以自行到具有戒毒治疗资质的医疗机构接受戒毒治疗。吸毒人员到戒毒医疗机构戒毒的情况比较复杂，有的是自己确实想要戒除毒瘾，有的是被亲友送到戒毒医疗机构的。由于戒毒医疗机构的管束能力有限，有的吸毒人员可能借机在戒毒治疗期间，通过各种方式取得毒品吸毒，这样不但达不到戒除毒瘾的目的，还扰乱了戒毒医疗机构正常的工作秩序。为此，本法第三十七条明确规定："发现接受戒毒治疗的戒毒人员在治疗期间吸食、注射毒品的，医疗机构应当及时向公安机关报告。"公安机关根据吸毒人员吸毒的具体情形，可以作出强制隔离戒毒的决定，以更好地治疗和挽救吸毒人员。戒毒医疗机构发现接受戒毒治疗的戒毒人员在治疗期间吸毒，不及时向公安机关报告的，依照本条规定，由卫生行政部门责令改正；情节严重的，责令停业整顿。

第六十八条　强制隔离戒毒场所、医疗机构、医师违反规定使用麻醉药品、精神药品，构成犯罪的，依法追究刑事责任；

尚不构成犯罪的，依照有关法律、行政法规的规定给予处罚。

【释义】 本条是关于强制隔离戒毒场所、医疗机构、医师违反规定使用麻醉药品、精神药品的法律责任的规定。

麻醉药品和精神药品的合理使用，可以解除患者的病痛，造福于人；如果滥用则会成为危害人们身体健康、危害社会安定的毒品。为了保证麻醉药品和精神药品的合理、安全使用，防止其流入非法渠道，本法和药品管理法、执业医师法以及《麻醉药品和精神药品管理条例》等法律、行政法规对麻醉药品和精神药品的使用作了严格规定，强制隔离戒毒场所、医疗机构、医师在使用麻醉药品和精神药品时，必须遵守上述法律、行政法规的规定。强制隔离戒毒场所、医疗机构、医师违反规定使用麻醉药品、精神药品，构成犯罪的，依法追究刑事责任，如违反国家规定，向吸食、注射毒品的人提供麻醉药品或者精神药品的，应依照刑法第三百五十五条非法提供麻醉药品、精神药品罪的规定定罪处罚。强制隔离戒毒场所、医疗机构等单位构成犯罪的，对单位判处罚金，并对其直接负责的主管人员和其他直接责任人员依照有关规定定罪处罚。强制隔离戒毒场所、医疗机构、医师违反规定使用麻醉药品、精神药品，尚不构成犯罪的，依照有关法律、行政法规的规定给予处罚，如执业医师违反规定使用麻醉药品、精神药品，尚不构成犯罪的，可按执业医师法第三十七条关于“医师不按照规定使用麻醉药品、精神药品的，由县级以上人民政府卫生行政部门给予警告或者责令暂停六个月以上一年以下执业活动；情节严重的，吊销其执业证书”的规定予以处罚。

第六十九条　公安机关、司法行政部门或者其他有关主管部门的工作人员在禁毒工作中有下列行为之一，构成犯罪的，依法追究刑事责任；尚不构成犯罪的，依法给予处分：

（一）包庇、纵容毒品违法犯罪人员的；

（二）对戒毒人员有体罚、虐待、侮辱等行为的；

（三）挪用、截留、克扣禁毒经费的；

（四）擅自处分查获的毒品和扣押、查封、冻结的涉及毒品违法犯罪活动的财物的。

【释义】　本条是关于公安机关、司法行政部门或者其他主管部门的工作人员在禁毒工作中违法犯罪行为的处罚规定。

本法和其他有关法律、行政法规对公安机关、卫生行政部门、海关、司法行政部门、药品监督管理部门等政府有关部门在禁毒工作中的职责作了规定。政府有关主管部门及其工作人员在禁毒工作中应当依法履行职责，违反法定职责的，应当依法追究法律责任。本条对有关主管部门的工作人员在禁毒工作中的违法犯罪行为作了明确的处罚规定，包括四种应予处罚的行为：

（一）包庇、纵容毒品违法犯罪人员

公安机关等有关主管部门的工作人员在禁毒工作中，包庇、纵容毒品违法犯罪行为，有的是为了牟取非法利益，有的是出于人情，无论出于何种原因，故意包庇、纵容毒品违法犯罪人员的，都要依法予以处罚。这里规定的“包庇、纵容毒品违法犯罪人员”，主要是指有关主管部门的工作人员在禁毒工作中发现毒品违法犯罪行为而不查处，以窝藏毒品违法犯罪人员或者做假证明等方式，帮助毒品违法犯罪人员逃避法律追究的行为。具体可分为两种情形：一是包庇、纵容毒品违法犯罪人员构成犯罪的，依法追究刑事责任，如明知是毒品犯罪分子而为其提供隐藏处所、财物，帮助其逃匿，或者作假证明包庇的，依照刑法第三百四十九条的规定定罪处罚；向毒品犯罪分子通风报信、提供便利的，依照刑法第四百一十七条的规定定罪处罚。二是包庇、纵容毒品违法犯罪人员尚未构成犯罪的，可分别依照人民警察法、《娱乐场所管理条例》、《麻醉药品和精神药品管理条例》等有关法律、行政法规的规定给予行政处分。

（二）对戒毒人员有体罚、虐待、侮辱等行为

吸食、注射毒品的行为是违法的，吸毒人员必须戒毒。对于戒毒人员，公安机关、司法行政部门及卫生行政部门等主管机关的工作人员，要对他们进行耐心教育、认真治疗，让他们真切感受到国家的政策、社会的温暖，感受到他们没有被遗弃，建立起重新融入社会生活的信心，坚决戒除毒瘾。戒毒人员的人格应当受到尊重，人身安全应当受到保护。这里规定的“戒毒人员”，包括社区戒毒人员、在医疗机构戒毒的人员、强制隔离戒毒的人员以及被依法予以行政拘留、采取刑事强制措施、被收监执行刑罚、被实施强制性教育措施的人员中正在接受戒毒治疗的人员。公安机关、司法行政部门或者其他有关主管部门的工作人员对戒毒人员有体罚、虐待、侮辱等行

为,构成犯罪的,根据其行为的具体情况和情节,可分别依照刑法第二百三十四条伤害罪和第二百四十八条体罚、虐待被监管人员罪等有关规定定罪处罚。尚不构成犯罪的,区分不同情况,依照治安管理处罚法、人民警察法等法律、行政法规的规定给予行政处分。

(三)挪用、截留、克扣禁毒经费

禁毒经费是用于禁毒工作的专用款项,任何部门和人员不得挪用、截留、克扣。按照本条规定,公安机关、司法行政部门或者其他有关主管部门的工作人员挪用、截留、克扣禁毒经费,构成犯罪的,应依法追究刑事责任,如依照刑法第三百八十四条挪用公款罪、第三百八十三条贪污罪的有关规定追究刑事责任;尚不构成犯罪的,要依照有关法律、行政法规的规定给予行政处分。

(四)擅自处分查获的毒品和扣押、查封、冻结的涉及毒品违法犯罪活动的财物

查获的毒品以及涉及毒品违法犯罪的财物,应当按照法律的规定处理,任何单位和个人不得擅自处分。本法第二十八条规定:“对依法查获的毒品,吸食、注射毒品的用具,毒品违法犯罪的非法所得及其收益,以及直接用于实施毒品违法犯罪行为的本人所有的工具、设备、资金,应当收缴,依照规定处理。”刑法第六十四条规定:“犯罪分子违法所得的一切财物,应当予以追缴或者责令退赔;对被害人的合法财产,应当及时返还;违禁品和供犯罪所用的本人财物,应当予以没收。没收的财物和罚金,一律上缴国库,不得挪用和自行处理。”

治安管理处罚法第十一条规定："办理治安案件所查获的毒品、淫秽物品等违禁品，赌具、赌资，吸食、注射毒品的用具以及直接用于实施违反治安管理行为的本人所有的工具，应当收缴，按照规定处理。违反治安管理所得的财物，追缴退还被侵害人；没有被侵害人的，登记造册，公开拍卖或者按照国家有关规定处理，所得款项上缴国库。"第一百一十六条规定，人民警察办理治安案件，私分、侵占、挪用、故意损毁收缴、扣押的财物的，依法给予行政处分；构成犯罪的，依法追究刑事责任。根据禁毒法第六十九条的规定，公安机关、司法行政部门或者其他有关主管部门的工作人员，擅自处分查获的毒品和扣押、查封、冻结的涉及毒品违法犯罪活动的财物，构成犯罪的，依法追究刑事责任，如私分、非法侵占的，依照刑法关于贪污罪的有关规定处罚，挪作他用的，依照刑法关于挪用公款罪的有关规定处罚；尚不构成犯罪的，依照治安管理处罚法等有关法律、行政法规的有关规定给予行政处分。

第七十条　有关单位及其工作人员在入学、就业、享受社会保障等方面歧视戒毒人员的，由教育行政部门、劳动行政部门责令改正；给当事人造成损失的，依法承担赔偿责任。

【释义】　本条是关于有关单位及其工作人员歧视戒毒人员的，应当如何处理的规定。

吸毒人员在经过心理、生理脱毒治疗以后，需要社会对他们进行帮教，使他们能正常地融入社会生活，不再复吸，成为自食其力的对社会有用的人，有关方面不应在就业、入学和社会保障等方面对他们歧视，由于一些戒毒人员在生活能力、自控能力及就业技能等方面比较弱，有关单位及其工作人员还应尽量帮助他们，在就业技能培训、就业指导等方面给予援助。本法第五十二条规定："戒毒人员在入学、就业、享受社会保障等方面不受歧视。有关部门、组织和人员应当在入学、就业、享受社会保障等方面对戒毒人员给予必要的指导和帮助。"本条规定，有关单位及其工作人员在入学、就业、享受社会保障等方面歧视戒毒人员的，由教育行政部门、劳动行政部门责令改正；给当事人造成损失的，依法承担赔偿责任。

第七章 附 则

第七十一条 本法自 2008 年 6 月 1 日起施行。《全国人民代表大会常务委员会关于禁毒的决定》同时废止。

【释义】 本条是关于本法生效日期和本法实施后关于禁毒的决定的效力的规定。

法律的施行日期即法律开始发生效力的时间。立法法第五十一条规定:“法律应当明确规定施行日期。”本法于 2007 年 12 月 29 日由第十届全国人民代表大会常务委员会第三十一次会议通过,自 2008 年 6 月 1 日起施行,从通过到施行本法有半年时间,这是为了有关方面利用这段时间充分做好本法实施的各项准备工作,对本法进行必要的宣传学习,制定配套规定等,以保证本法的正确贯彻实施。

1990 年全国人大常委会通过的《关于禁毒的决定》,对于涉及毒品的违法犯罪行为作了比较详细的规定,对于打击毒品违法犯罪活动,维护社会秩序起到了积极的作用。1997 年修订刑法时,《关于禁毒的决定》中有关刑事责任的规定已纳入刑法,自修订的刑法施行之日起,应当适用刑法规定。同时,《关于禁毒的决定》中还有有关行政处罚和行政措施的规定,这些规定继续有效,刑法第四百五十二条对此作了明确规定。本法实施以后,《关于禁毒的决定》中有关行政处罚和行政措施的规定已经纳入到禁毒法中,因此,自禁毒法实施之日起,1990 年全国人大常委会《关于禁毒的决定》予以废止,不再有效。

第二部分 附 录

中华人民共和国禁毒法

（2007 年 12 月 29 日第十届全国人民代表大会
常务委员会第三十一次会议通过）

目 录

第一章 总 则

第一条 为了预防和惩治毒品违法犯罪行为，保护公民身心健康,维护社会秩序,制定本法。

第二条 本法所称毒品,是指鸦片、海洛因、甲基苯丙胺(冰毒)、吗啡、大麻、可卡因,以及国家规定管制的其他能够使人形成瘾癖的麻醉药品和精神药品。

根据医疗、教学、科研的需要,依法可以生产、经营、使用、储存、运输麻醉药品和精神药品。

第三条 禁毒是全社会的共同责任。国家机关、社会团体、企业事业单位以及其他组织和公民,应当依照本法和有关法律的规定,履行禁毒职责或者义务。

第四条 禁毒工作实行预防为主,综合治理,禁种、禁制、禁贩、禁吸并举的方针。

禁毒工作实行政府统一领导,有关部门各负其责,社会广泛参与的工作机制。

第五条 国务院设立国家禁毒委员会,负责组织、协调、指导全国的禁毒工作。

县级以上地方各级人民政府根据禁毒工作的需要,可以设立禁毒委员会,负责组织、协调、指导本行政区域内的禁毒工作。

第六条 县级以上各级人民政府应当将禁毒工作纳入国民经济和社会发展规划,并将禁毒经费列入本级财政预算。

第七条 国家鼓励对禁毒工作的社会捐赠,并依法给予税收优惠。

第八条 国家鼓励开展禁毒科学技术研究,推广先进的缉毒技术、装备和戒毒方法。

第九条 国家鼓励公民举报毒品违法犯罪行为。各级人民政府和有关部门应当对举报人予以保护,对举报有功人员以及在禁毒工作中有突出贡献的单位和个人,给予表彰和奖励。

第十条 国家鼓励志愿人员参与禁毒宣传教育和戒毒社会服务工作。地方各级人民政府应当对志愿人员进行指导、培训,并提供必要的工作条件。

第二章 禁毒宣传教育

第十一条 国家采取各种形式开展全民禁毒宣传教育,普及毒品预防知识,增强公民的禁毒意识,提高公民自觉抵制毒品的能力。

国家鼓励公民、组织开展公益性的禁毒宣传活动。

第十二条 各级人民政府应当经常组织开展多种形式的禁毒宣传教育。

工会、共产主义青年团、妇女联合会应当结合各自工作对象的特点,组织开展禁毒宣传教育。

第十三条 教育行政部门、学校应当将禁毒知识纳入教育、教学内容,对学生进行禁毒宣传教育。公安机关、司法行政部门和卫生行政部门应当予以协助。

第十四条 新闻、出版、文化、广播、电影、电视等有关单位,应当有针对性地面向社会进行禁毒宣传教育。

第十五条 飞机场、火车站、长途汽车站、码头以及旅店、娱乐场所等公共场所的经营者、管理者,负责本场所的禁毒宣传教育,落实禁毒防范措施,预防毒品违法犯罪行为在本场所内发生。

第十六条 国家机关、社会团体、企业事业单位以及其他组织,应当加强对本单位人员的禁毒宣传教育。

第十七条 居民委员会、村民委员会应当协助人民政府以及公安机关等部门，加强禁毒宣传教育，落实禁毒防范措施。

第十八条 未成年人的父母或者其他监护人应当对未成年人进行毒品危害的教育，防止其吸食、注射毒品或者进行其他毒品违法犯罪活动。

第三章 毒品管制

第十九条 国家对麻醉药品药用原植物种植实行管制。禁止非法种植罂粟、古柯植物、大麻植物以及国家规定管制的可以用于提炼加工毒品的其他原植物。禁止走私或者非法买卖、运输、携带、持有未经灭活的毒品原植物种子或者幼苗。

地方各级人民政府发现非法种植毒品原植物的，应当立即采取措施予以制止、铲除。村民委员会、居民委员会发现非法种植毒品原植物的，应当及时予以制止、铲除，并向当地公安机关报告。

第二十条 国家确定的麻醉药品药用原植物种植企业，必须按照国家有关规定种植麻醉药品药用原植物。

国家确定的麻醉药品药用原植物种植企业的提取加工场所，以及国家设立的麻醉药品储存仓库，列为国家重点警戒目标。

未经许可，擅自进入国家确定的麻醉药品药用原植物种植企业的提取加工场所或者国家设立的麻醉药品储存仓库等警戒区域的，由警戒人员责令其立即离开；拒不离开的，强行带离现场。

第二十一条 国家对麻醉药品和精神药品实行管制，对麻醉药品和精神药品的实验研究、生产、经营、使用、储存、运输实行许可和查验制度。

国家对易制毒化学品的生产、经营、购买、运输实行许可制度。

禁止非法生产、买卖、运输、储存、提供、持有、使用麻醉药品、精神药品和易制毒化学品。

第二十二条　国家对麻醉药品、精神药品和易制毒化学品的进口、出口实行许可制度。国务院有关部门应当按照规定的职责，对进口、出口麻醉药品、精神药品和易制毒化学品依法进行管理。禁止走私麻醉药品、精神药品和易制毒化学品。

第二十三条　发生麻醉药品、精神药品和易制毒化学品被盗、被抢、丢失或者其他流入非法渠道的情形，案发单位应当立即采取必要的控制措施，并立即向公安机关报告，同时依照规定向有关主管部门报告。

公安机关接到报告后，或者有证据证明麻醉药品、精神药品和易制毒化学品可能流入非法渠道的，应当及时开展调查，并可以对相关单位采取必要的控制措施。药品监督管理部门、卫生行政部门以及其他有关部门应当配合公安机关开展工作。

第二十四条　禁止非法传授麻醉药品、精神药品和易制毒化学品的制造方法。公安机关接到举报或者发现非法传授麻醉药品、精神药品和易制毒化学品制造方法的，应当及时依法查处。

第二十五条　麻醉药品、精神药品和易制毒化学品管理的具体办法，由国务院规定。

第二十六条　公安机关根据查缉毒品的需要，可以在边境地区、交通要道、口岸以及飞机场、火车站、长途汽车站、码头对来往人员、物品、货物以及交通工具进行毒品和易制毒化学品检查,民航、铁路、交通部门应当予以配合。

海关应当依法加强对进出口岸的人员、物品、货物和运输工具的检查,防止走私毒品和易制毒化学品。

邮政企业应当依法加强对邮件的检查,防止邮寄毒品和非法邮寄易制毒化学品。

第二十七条 娱乐场所应当建立巡查制度,发现娱乐场所内有毒品违法犯罪活动的,应当立即向公安机关报告。

第二十八条 对依法查获的毒品,吸食、注射毒品的用具,毒品违法犯罪的非法所得及其收益,以及直接用于实施毒品违法犯罪行为的本人所有的工具、设备、资金,应当收缴,依照规定处理。

第二十九条 反洗钱行政主管部门应当依法加强对可疑毒品犯罪资金的监测。反洗钱行政主管部门和其他依法负有反洗钱监督管理职责的部门、机构发现涉嫌毒品犯罪的资金流动情况,应当及时向侦查机关报告,并配合侦查机关做好侦查、调查工作。

第三十条 国家建立健全毒品监测和禁毒信息系统,开展毒品监测和禁毒信息的收集、分析、使用、交流工作。

第四章 戒毒措施

第三十一条 国家采取各种措施帮助吸毒人员戒除毒瘾,教育和挽救吸毒人员。

吸毒成瘾人员应当进行戒毒治疗。

吸毒成瘾的认定办法，由国务院卫生行政部门、药品监督管理部门、公安部门规定。

第三十二条　公安机关可以对涉嫌吸毒的人员进行必要的检测，被检测人员应当予以配合；对拒绝接受检测的，经县级以上人民政府公安机关或者其派出机构负责人批准，可以强制检测。

公安机关应当对吸毒人员进行登记。

第三十三条　对吸毒成瘾人员，公安机关可以责令其接受社区戒毒，同时通知吸毒人员户籍所在地或者现居住地的城市街道办事处、乡镇人民政府。社区戒毒的期限为三年。

戒毒人员应当在户籍所在地接受社区戒毒；在户籍所在地以外的现居住地有固定住所的，可以在现居住地接受社区戒毒。

第三十四条　城市街道办事处、乡镇人民政府负责社区戒毒工作。城市街道办事处、乡镇人民政府可以指定有关基层组织，根据戒毒人员本人和家庭情况，与戒毒人员签订社区戒毒协议，落实有针对性的社区戒毒措施。公安机关和司法行政、卫生行政、民政等部门应当对社区戒毒工作提供指导和协助。

城市街道办事处、乡镇人民政府，以及县级人民政府劳动行政部门对无职业且缺乏就业能力的戒毒人员，应当提供必要的职业技能培训、就业指导和就业援助。

第三十五条　接受社区戒毒的戒毒人员应当遵守法律、法规，自觉履行社区戒毒协议，并根据公安机关的要求，定期接受检测。

对违反社区戒毒协议的戒毒人员，参与社区戒毒的工作人员应当进行批评、教育；对严重违反社区戒毒协议或者在社区戒毒期间又吸食、注射毒品的,应当及时向公安机关报告。

第三十六条 吸毒人员可以自行到具有戒毒治疗资质的医疗机构接受戒毒治疗。

设置戒毒医疗机构或者医疗机构从事戒毒治疗业务的,应当符合国务院卫生行政部门规定的条件,报所在地的省、自治区、直辖市人民政府卫生行政部门批准,并报同级公安机关备案。戒毒治疗应当遵守国务院卫生行政部门制定的戒毒治疗规范,接受卫生行政部门的监督检查。

戒毒治疗不得以营利为目的。戒毒治疗的药品、医疗器械和治疗方法不得做广告。戒毒治疗收取费用的,应当按照省、自治区、直辖市人民政府价格主管部门会同卫生行政部门制定的收费标准执行。

第三十七条 医疗机构根据戒毒治疗的需要,可以对接受戒毒治疗的戒毒人员进行身体和所携带物品的检查;对在治疗期间有人身危险的,可以采取必要的临时保护性约束措施。

发现接受戒毒治疗的戒毒人员在治疗期间吸食、注射毒品的,医疗机构应当及时向公安机关报告。

第三十八条 吸毒成瘾人员有下列情形之一的,由县级以上人民政府公安机关作出强制隔离戒毒的决定:

(一)拒绝接受社区戒毒的;

(二)在社区戒毒期间吸食、注射毒品的;

(三)严重违反社区戒毒协议的;

(四)经社区戒毒、强制隔离戒毒后再次吸食、注射毒品的。

对于吸毒成瘾严重,通过社区戒毒难以戒除毒瘾的人员,公安机关可以直接作出强制隔离戒毒的决定。

吸毒成瘾人员自愿接受强制隔离戒毒的，经公安机关同意，可以进入强制隔离戒毒场所戒毒。

第三十九条　怀孕或者正在哺乳自己不满一周岁婴儿的妇女吸毒成瘾的，不适用强制隔离戒毒。不满十六周岁的未成年人吸毒成瘾的，可以不适用强制隔离戒毒。

对依照前款规定不适用强制隔离戒毒的吸毒成瘾人员，依照本法规定进行社区戒毒，由负责社区戒毒工作的城市街道办事处、乡镇人民政府加强帮助、教育和监督，督促落实社区戒毒措施。

第四十条　公安机关对吸毒成瘾人员决定予以强制隔离戒毒的，应当制作强制隔离戒毒决定书，在执行强制隔离戒毒前送达被决定人，并在送达后二十四小时以内通知被决定人的家属、所在单位和户籍所在地公安派出所；被决定人不讲真实姓名、住址，身份不明的，公安机关应当自查清其身份后通知。

被决定人对公安机关作出的强制隔离戒毒决定不服的，可以依法申请行政复议或者提起行政诉讼。

第四十一条　对被决定予以强制隔离戒毒的人员，由作出决定的公安机关送强制隔离戒毒场所执行。

强制隔离戒毒场所的设置、管理体制和经费保障，由国务院规定。

第四十二条　戒毒人员进入强制隔离戒毒场所戒毒时，应当接受对其身体和所携带物品的检查。

第四十三条　强制隔离戒毒场所应当根据戒毒人员吸食、注射毒品的种类及成瘾程度等，对戒毒人员进行有针对性的生理、心理治疗和身体康复训练。

根据戒毒的需要,强制隔离戒毒场所可以组织戒毒人员参加必要的生产劳动,对戒毒人员进行职业技能培训。组织戒毒人员参加生产劳动的,应当支付劳动报酬。

第四十四条 强制隔离戒毒场所应当根据戒毒人员的性别、年龄、患病等情况,对戒毒人员实行分别管理。

强制隔离戒毒场所对有严重残疾或者疾病的戒毒人员,应当给予必要的看护和治疗;对患有传染病的戒毒人员,应当依法采取必要的隔离、治疗措施;对可能发生自伤、自残等情形的戒毒人员,可以采取相应的保护性约束措施。

强制隔离戒毒场所管理人员不得体罚、虐待或者侮辱戒毒人员。

第四十五条 强制隔离戒毒场所应当根据戒毒治疗的需要配备执业医师。强制隔离戒毒场所的执业医师具有麻醉药品和精神药品处方权的,可以按照有关技术规范对戒毒人员使用麻醉药品、精神药品。

卫生行政部门应当加强对强制隔离戒毒场所执业医师的业务指导和监督管理。

第四十六条 戒毒人员的亲属和所在单位或者就读学校的工作人员,可以按照有关规定探访戒毒人员。戒毒人员经强制隔离戒毒场所批准,可以外出探视配偶、直系亲属。

强制隔离戒毒场所管理人员应当对强制隔离戒毒场所以外的人员交给戒毒人员的物品和邮件进行检查,防止夹带毒品。在检查邮件时,应当依法保护戒毒人员的通信自由和通信秘密。

第四十七条 强制隔离戒毒的期限为二年。

执行强制隔离戒毒一年后,经诊断评估,对于戒毒情况良好的戒毒人员,强制隔离戒毒场所可以提出提前解除强制隔离戒毒的意见,报强制隔离戒毒的决定机关批准。

强制隔离戒毒期满前,经诊断评估,对于需要延长戒毒期限的戒毒人员,由强制隔离戒毒场所提出延长戒毒期限的意见,报强制隔离戒毒的决定机关批准。强制隔离戒毒的期限最长可以延长一年。

第四十八条 对于被解除强制隔离戒毒的人员,强制隔离戒毒的决定机关可以责令其接受不超过三年的社区康复。

社区康复参照本法关于社区戒毒的规定实施。

第四十九条 县级以上地方各级人民政府根据戒毒工作的需要,可以开办戒毒康复场所;对社会力量依法开办的公益性戒毒康复场所应当给予扶持,提供必要的便利和帮助。

戒毒人员可以自愿在戒毒康复场所生活、劳动。戒毒康复场所组织戒毒人员参加生产劳动的,应当参照国家劳动用工制度的规定支付劳动报酬。

第五十条 公安机关、司法行政部门对被依法拘留、逮捕、收监执行刑罚以及被依法采取强制性教育措施的吸毒人员,应当给予必要的戒毒治疗。

第五十一条 省、自治区、直辖市人民政府卫生行政部门会同公安机关、药品监督管理部门依照国家有关规定,根据巩固戒毒成果的需要和本行政区域艾滋病流行情况,可以组织开展戒毒药物维持治疗工作。

第五十二条 戒毒人员在入学、就业、享受社会保障等方面不受歧视。有关部门、组织和人员应当在入学、就业、享受社会保障等方面对戒毒人员给予必要的指导和帮助。

第五章　禁毒国际合作

第五十三条　中华人民共和国根据缔结或者参加的国际条约或者按照对等原则，开展禁毒国际合作。

第五十四条　国家禁毒委员会根据国务院授权，负责组织开展禁毒国际合作，履行国际禁毒公约义务。

第五十五条　涉及追究毒品犯罪的司法协助，由司法机关依照有关法律的规定办理。

第五十六条　国务院有关部门应当按照各自职责，加强与有关国家或者地区执法机关以及国际组织的禁毒情报信息交流，依法开展禁毒执法合作。

经国务院公安部门批准，边境地区县级以上人民政府公安机关可以与有关国家或者地区的执法机关开展执法合作。

第五十七条　通过禁毒国际合作破获毒品犯罪案件的，中华人民共和国政府可以与有关国家分享查获的非法所得、由非法所得获得的收益以及供毒品犯罪使用的财物或者财物变卖所得的款项。

第五十八条　国务院有关部门根据国务院授权，可以通过对外援助等渠道，支持有关国家实施毒品原植物替代种植、发展替代产业。

第六章　法律责任

第五十九条　有下列行为之一，构成犯罪的，依法追究刑事责任；尚不构成犯罪的，依法给予治安管理处罚：

（一）走私、贩卖、运输、制造毒品的；

（二）非法持有毒品的；

（三）非法种植毒品原植物的；

（四）非法买卖、运输、携带、持有未经灭活的毒品原植物种子或者幼苗的；

（五）非法传授麻醉药品、精神药品或者易制毒化学品制造方法的；

（六）强迫、引诱、教唆、欺骗他人吸食、注射毒品的；

（七）向他人提供毒品的。

第六十条　有下列行为之一，构成犯罪的，依法追究刑事责任；尚不构成犯罪的，依法给予治安管理处罚：

（一）包庇走私、贩卖、运输、制造毒品的犯罪分子，以及为犯罪分子窝藏、转移、隐瞒毒品或者犯罪所得财物的；

（二）在公安机关查处毒品违法犯罪活动时为违法犯罪行为人通风报信的；

（三）阻碍依法进行毒品检查的；

（四）隐藏、转移、变卖或者损毁司法机关、行政执法机关依法扣押、查封、冻结的涉及毒品违法犯罪活动的财物的。

第六十一条　容留他人吸食、注射毒品或者介绍买卖毒品，构成犯罪的，依法追究刑事责任；尚不构成犯罪的，由公安机关处十日以上十五日以下拘留，可以并处三千元以下罚款；情节较轻的，处五日以下拘留或者五百元以下罚款。

第六十二条　吸食、注射毒品的，依法给予治安管理处罚。吸毒人员主动到公安机关登记或者到有资质的医疗机构接受戒毒治疗的，不予处罚。

第六十三条　在麻醉药品、精神药品的实验研究、生产、经营、使用、储存、运输、进口、出口以及麻醉药品药用原植物种植活动中,违反国家规定,致使麻醉药品、精神药品或者麻醉药品药用原植物流入非法渠道,构成犯罪的,依法追究刑事责任;尚不构成犯罪的,依照有关法律、行政法规的规定给予处罚。

第六十四条 在易制毒化学品的生产、经营、购买、运输或者进口、出口活动中,违反国家规定,致使易制毒化学品流入非法渠道,构成犯罪的,依法追究刑事责任;尚不构成犯罪的,依照有关法律、行政法规的规定给予处罚。

第六十五条 娱乐场所及其从业人员实施毒品违法犯罪行为,或者为进入娱乐场所的人员实施毒品违法犯罪行为提供条件,构成犯罪的,依法追究刑事责任;尚不构成犯罪的,依照有关法律、行政法规的规定给予处罚。

娱乐场所经营管理人员明知场所内发生聚众吸食、注射毒品或者贩毒活动,不向公安机关报告的,依照前款的规定给予处罚。

第六十六条 未经批准,擅自从事戒毒治疗业务的,由卫生行政部门责令停止违法业务活动,没收违法所得和使用的药品、医疗器械等物品;构成犯罪的,依法追究刑事责任。

第六十七条 戒毒医疗机构发现接受戒毒治疗的戒毒人员在治疗期间吸食、注射毒品,不向公安机关报告的,由卫生行政部门责令改正;情节严重的,责令停业整顿。

第六十八条 强制隔离戒毒场所、医疗机构、医师违反规定使用麻醉药品、精神药品,构成犯罪的,依法追究刑事责任;尚不构成犯罪的,依照有关法律、行政法规的规定给予处罚。

第六十九条 公安机关、司法行政部门或者其他有关主管部门的工作人员在禁毒工作中有下列行为之一，构成犯罪的，依法追究刑事责任；尚不构成犯罪的，依法给予处分：

（一）包庇、纵容毒品违法犯罪人员的；

（二）对戒毒人员有体罚、虐待、侮辱等行为的；

（三）挪用、截留、克扣禁毒经费的；

（四）擅自处分查获的毒品和扣押、查封、冻结的涉及毒品违法犯罪活动的财物的。

第七十条　有关单位及其工作人员在入学、就业、享受社会保障等方面歧视戒毒人员的，由教育行政部门、劳动行政部门责令改正；给当事人造成损失的，依法承担赔偿责任。

第七章　附　　则

第七十一条　本法自 2008 年 6 月 1 日起施行。《全国人民代表大会常务委员会关于禁毒的决定》同时废止。

关于《中华人民共和国禁毒法（草案）》的说明

——2006年8月22日在第十届全国人民代表大会常务委员会第二十三次会议上

公安部副部长　张新枫

委员长、各位副委员长、秘书长、各位委员：

我受国务院的委托，现对《中华人民共和国禁毒法（草案）》作说明。

一、制定本法的必要性

禁毒工作关系到国家和民族的兴衰存亡，党和国家对此一贯高度重视。1990年12月，全国人大常委会通过了《全国人民代表大会常务委员会关于禁毒的决定》；1995年1月和2005年8月，国务院又先后制定了《强制戒毒办法》和《麻醉药品和精神药品管理条例》、《易制毒化学品管理条例》。这些有关法律问题的决定和行政法规的施行，对于依法预防和惩治毒品违法犯罪行为、维护社会治安秩序、保护公民身心健康等,发挥了重要的作用。但是,受国际毒潮泛滥和国内涉毒因素的影响,我国的禁毒工作仍然面临着十分严峻的形势:一是境外毒品特别是"金三角"的毒品大量流入我国境内,对我国的禁毒工作带来严重威胁。二是国内制贩毒品特别是冰毒、摇头丸等新型毒品的违法犯罪活动呈上升趋势,非法种植毒品原植物的情况屡禁不止。三是国内吸毒人员规模不断扩大,并因此导致艾滋病等多种严重传染病的扩散。据公安部统计,2005 年全国登记在册的吸毒人员累计 116 万,比 2000 年上升了 35%;现有吸毒人员 78 万,其中海洛因吸毒者达 70 万。此外,吸食冰毒、摇头丸等新型毒品的实际人数上升较快。四是全社会的禁毒意识还不够强,毒品管制、毒品预防和社会帮教、强制戒毒的措施需要进一步完善。为了解决上述问题,有必要制定一部专门的禁毒法律。

二、制定本法的指导原则

制定本法主要遵循了以下三个原则:

一是"专群结合"。禁毒工作涉及面广,社会性强,是一项系统工程,既需要公安机关、审判机关等专门机关加强执法、严厉打击毒品违法犯罪活动,更需要紧紧依靠广大人民群众,动员社会力量广泛参与,通过开展禁毒人民战争进一步做好禁毒工作。

二是预防与惩治相结合。毒品易沾难戒,加强预防工作十分必要,既要动员全社会加强对毒品危害性的宣传教育,严格落实防范措施,特别是要预防青少年沾染毒品,又要加大对毒品违法犯罪行为的惩治力度,使禁毒工作获得国家强制力的保障。

三是教育与救治相结合。吸毒人员既是违法者,又是病人和受害者。对吸毒人员要惩罚,更要教育和救治。这就需要大力推进社会帮教戒毒与强制戒毒相结合的戒毒模式,引导吸毒人员在社会生活状态下戒毒,切实巩固戒毒成果。

三、草案的主要内容

草案共8章78条,主要规定了禁毒工作的方针和工作机制、毒品管制、预防和宣传教育、社会帮教戒毒、隔离戒毒和强制性教育矫治戒毒、禁毒国际合作以及法律责任。

(一)关于禁毒工作方针和工作机制

根据党中央、国务院关于“通过立法明确把禁毒纳入国民经济和社会发展的总体规划,确定禁毒领导体制、工作机制、保障机制”的要求,草案明确规定:禁毒是全社会的共同责任。同时,草案还明确规定:禁毒工作实行禁吸、禁贩、禁种、禁制并举,预防为本,综合治理的方针,实行政府统一领导,禁毒委员会主管并组织、协调、指导,有关部门各负其责,社会广泛参与的工作机制,并将禁毒工作纳入国民经济和社会发展规划,禁毒经费列入财政预算予以保障。(第二条至第五条)

(二)关于毒品管制和毒品违法犯罪行为的处罚

为了有效遏制毒品来源和吸食毒品,严厉禁止毒品违法犯罪行为,草案专门就毒品管制作了规定:一是禁止走私、贩卖、运输、制造毒品;禁止非法持有毒品;禁止传授毒品或者易制毒化学品犯罪方法;禁止吸食、注射毒品;禁止容留、引诱、教唆、欺骗、强迫他人吸食、注射毒品;禁止向他人提供毒品。(第八条)二是严格对麻醉药品、精神药品、易制毒化学品以及毒品原植物的管制。(第九条至第十二条)三是公安机关可以在边境地区、交通要道以及火车站、长途汽车站等场所对来往人员、物品、货物和交通工具进行毒品和易制毒化学品检查,民航、铁路、交通部门应当予以配合。(第十三条)四是娱乐场所应当在营业场所的显著位置悬挂含有禁毒内容的警示标志,并建立巡查制度。(第十四条)五是制造、贩卖毒品或者吸食、注射毒品的器具、工具、设备以及毒品违法犯罪的非法所得及其收益、供毒品违法犯罪使用的资金,公安机关应当依法收缴。(第十五条)六是对禁毒反洗钱工作作了原则规定。(第十六条)在严格管制毒品的同时,草案还设专章(第七章)对走私、贩卖、运输、制造毒品;非法持有毒品;引诱、教唆、欺骗、强迫他人吸食、注射毒品;非法种植毒品原植物;违反国家规定,致使易制毒化学品流入非法渠道;吸食、注射毒品或者向他人提供毒品等毒品违法犯罪行为规定了严格的处罚。

(三)关于预防和宣传教育

禁毒工作重在预防。为了增强全社会的禁毒意识,预防毒品违法犯罪行为发生,草案对毒品预防和禁毒宣传教育作了规定:一是国家禁毒委员会应当建立健全毒品监测、禁毒信息系统和禁毒工作新闻发布制度,定期向社会通报毒情和禁毒工作情况。地方各级人民政府和地方禁毒委员会应当根据实际需要设立禁毒宣传教育基地。(第十八条、第十九条)二是文化、教育、新闻出版、广电、公安、司法行政、卫生等部门应当按照各自的职责,加强禁毒宣传教育,各类新闻通讯单位、大众传播媒体应当利用各类媒体开展禁毒宣传教育。(第二十条、第二十一条)三是飞机场、火车站、旅店、娱乐场所等公共场所的经营者、管理者负责本场所的禁毒宣传教育,落实禁毒防范措施。(第二十二条）四是机关、团体、企事业单位和其他组织应当在本单位、本系统开展禁毒宣传教育。（第二十三条）五是城乡基层群众性自治组织应当落实禁毒宣传教育和禁毒防范措施的义务，建设无毒社区、无毒乡村和无毒家庭。（第二十四条）六是父母或者其他监护人应当对未成年子女或者其他被监护人进行毒品危害的教育。（第二十五条）

（四）关于社会帮教戒毒

社会帮教戒毒是吸毒人员戒除毒瘾的基本措施，各地已经取得了许多有益的经验。为了大力推进社会帮教戒毒，草案对社会帮教戒毒作了规定：一是国家采取各种措施帮助吸毒人员戒除毒瘾，教育和挽救吸毒人员，地方各级人民政府应当加强对吸毒人员的社会帮教工作，鼓励志愿人员参与戒毒社会服务，对参与社会帮教的人员进行指导、培训，并提供必要的工作条件。（第二十六条）二是公安机关对经检测确认的吸毒人员进行登记后，应当责令其戒毒，并及时通知吸毒人员所在地的基层政府，将吸毒人员列为社会帮教对象，责成其与有关组织和个人签订帮教戒毒协议，落实有针对性的社会帮教戒毒措施。（第二十八条）三是有急剧戒断症状的吸毒人员可以自行到有资质的医疗机构接受戒毒脱瘾治疗。（第三十条第一款）四是规定戒毒脱瘾医疗属于公益性事业，并对戒毒脱瘾医疗业务和戒毒药物维持治疗作了原则规范。（第三十条、第三十一条、第三十三条）五是规定了社会帮教戒毒的具体内容。（第二十九条第一款）六是规定县级以上地方各级人民政府应当根据戒毒工作需要开办戒毒康复场所，使戒毒人员在无毒环境中巩固戒毒成果，对社会力量开办公益性戒毒康复场所的，地方人民政府应当提供必要的便利、帮助和扶持。（第三十二条）七是规定戒毒人员在入学、就业、享受社会保障等方面不受歧视，有关部门应当为戒毒人员的入学和就业给予指导。（第三十五条）

（五）关于隔离戒毒和强制性教育矫治戒毒

为了使缺乏条件和不宜实行社会帮教戒毒的吸毒人员戒除毒瘾，草案在归纳现行做法的基础上，对隔离戒毒和强制性教育矫治戒毒作了规定：一是界定了应当接受隔离戒毒的吸毒人员的范围，明确了隔离戒毒的时限。（第三十七条至第三十九条）二是对公安机关隔离戒毒的管理措施作了规范。（第四十条至第四十五条）三是对被解除隔离戒毒后又重新吸毒的以及在隔离戒毒期间脱逃的人员，实行强制性教育矫治戒毒，并规定强制性教育矫治戒毒依照强制性教育矫治的法律规定执行。（第四十七条）四是依法被解除隔离戒毒和强制性教育矫治戒毒的人员，3 年内不得脱离戒毒社会帮教。（第四十九条）

（六）关于禁毒国际合作

为了加强禁毒国际合作，草案对禁毒国际合作的原则、内容和工作机制，禁毒联合侦查、控制下交付、国际核查、替代发展等具体措施等作了规定。（第五十条至第五十四条）

《中华人民共和国禁毒法（草案）》和以上说明是否妥当，请审议。

全国人大法律委员会关于《中华人民共和国禁毒法(草案)》修改情况的汇报

全国人民代表大会常务委员会:

常委会第二十三次会议对禁毒法(草案)进行了初次审议。会后,法制工作委员会将草案印发各省(区、市)、中央有关部门和部分研究机构、院校等单位征求意见。法律委员会、法制工作委员会还到一些地方进行调研,并就草案主要问题与有关部门多次交换意见,共同研究。法律委员会于9月29日召开会议,根据常委会组成人员的审议意见和各方面的意见,对草案进行了逐条审议。内务司法委员会和国务院法制办、公安部、司法部的负责同志列席了会议。10月22日,法律委员会召开会议,再次进行了审议。现将草案主要问题的修改情况汇报如下:

一、草案第四条第一款规定:“国家禁毒委员会在国务院领导下主管全国的禁毒工作,并负责组织、协调、指导国务院有关部门的禁毒工作。国家禁毒委员会办公室设在公安部。”有些常委委员和地方、部门提出,禁毒工作是由公安部等国务院有关部门负责的,国家禁毒委员会是履行“组织、协调、指导”禁毒工作职能的议事协调机构，并不行使行政权力，作出行政决定，规定禁毒委员会“主管”禁毒工作不妥；同时，禁毒委员会办事机构的设置宜由国务院规定，不必在法律中规定。法律委员会经同内务司法委员会和国务院法制办、公安部研究，建议将这一款修改为：“国务院设立国家禁毒委员会，负责组织、协调、指导国务院有关部门的禁毒工作。”同时，对草案这一条第二款关于地方政府禁毒委员会的规定作相应修改。（草案二次审议稿第五条）

二、草案第二十八条规定，公安机关对经检测确认的吸毒人员进行登记，并责令其接受社会帮教戒毒，社会帮教戒毒最短期限不少于一年。第三十七条规定，对于有本条所列情形的吸毒人员，由公安机关做出隔离戒毒的决定。有些常委委员和地方、部门提出，对有吸毒行为的人员，应针对不同情况采取相应的措施：对于初次吸毒或吸食低毒性毒品未成瘾的人员，不必要求其接受社会帮教戒毒或进行隔离戒毒。需要采取较长时间的社会帮教戒毒或者隔离戒毒措施的，应是吸毒成瘾的人员。法律委员会经同内务司法委员会和国务院法制办、公安部研究，建议将上述规定修改为：“对吸毒成瘾人员，公安机关除依法给予治安管理处罚外，可以责令其接受社区戒毒，同时通知吸毒人员户籍所在地或者现居住地的城市街道办事处、乡镇人民政府。社区戒毒的期限为三年。”“吸毒成瘾的认定办法，由国务院公安部门会同卫生行政部门、药品监督管理部门规定。”（草案二次审议稿第三十三条第一款、第二款）对有“拒绝接受社区戒毒”或者“因吸毒成瘾严重，通过社区戒毒难以戒除毒瘾”等情形的人员，依法予以强制隔离戒毒。（草案二次审议稿第三十八条）

三、草案第三十六条、第三十七条、第三十九条、第四十七条规定:吸毒人员有所列的多次注射吸毒等情形的,由公安机关决定进行隔离戒毒;对被解除隔离戒毒后又吸毒以及在隔离戒毒期间脱逃的,按照国家有关规定,可以实施强制性教育矫治戒毒。省级人民政府应当根据需要设立隔离戒毒场所和强制性教育矫治戒毒场所;隔离戒毒工作和强制性教育矫治戒毒工作分别由公安机关和司法行政部门负责实施和管理。有些常委委员和地方、部门、专家提出,草案上述规定基本上是现行的戒毒体制,只是将强制戒毒的名称改为隔离戒毒,将劳教戒毒的名称改为强制性教育矫治戒毒。从实际执行情况看,将完整的戒毒过程分为由公安机关和司法行政部门分别负责实施和管理的两个阶段,不利于戒毒资源的统筹配置和合理使用;现行三个月至六个月的强制戒毒基本上达不到戒除毒瘾的效果,对大多数复吸人员仍要进行三年左右的劳教戒毒。建议统筹整合国家戒毒资源,实行统一的强制性隔离戒毒体制。有些常委委员和地方、部门认为,现行戒毒体制已经实行多年,如何改革还需要进一步研究,目前还是维持现行的戒毒体制较为稳妥。法律委员会经同内务司法委员会和国务院法制办、公安部、司法部研究认为,从整合戒毒资源、提高戒毒效果考虑,应对现行的隔离戒毒和劳教戒毒体制进行改革。但是,这项改革还需要进一步总结实践经验,确定具体方案,有步骤地推行。据此,法律委员会建议,将草案规定的"隔离戒毒"和"强制性教育矫治戒毒",统一规定为"强制隔离戒毒"(草案二次审议稿第三十八条),强制隔离戒毒的期限为一年至三年(草案二次审议稿第四十六条);并规定:"强制隔离戒毒场所的设置、管理体制和经费保障,由国务院规定。"(草案二次审议稿第四十条第二款)

四、按照草案第五十六条、第五十七条的规定，容留他人吸食、注射毒品，尚不构成犯罪的，最高可以处十五日拘留；介绍买卖毒品的，最高可以处五日拘留。有的常委委员、地方和部门提出，介绍买卖毒品行为的危害性并不比容留他人吸食、注射毒品的要轻，规定对介绍买卖毒品行为的处罚明显轻于对容留他人吸食、注射毒品的处罚值得研究，建议适当加重。法律委员会经同内务司法委员会和国务院法制办、公安部研究，建议将对介绍买卖毒品和容留他人吸食、注射毒品的处罚合并，规定："容留他人吸食、注射毒品或者介绍买卖毒品，构成犯罪的，依法追究刑事责任；尚不构成犯罪的，由公安机关处十日以上十五日以下拘留，可以并处三千元以下罚款；情节较轻的，处五日以下拘留或者五百元以下罚款。"（草案二次审议稿第六十条）

此外，还对草案作了一些结构调整和文字修改。

草案二次审议稿已按上述意见作了修改，法律委员会建议提请本次常委会会议继续审议。

草案二次审议稿和以上汇报是否妥当，请审议。

全国人大法律委员会

2007 年 10 月 24 日

全国人大法律委员会关于《中华人民共和国禁毒法(草案)》审议结果的报告

全国人民代表大会常务委员会:

常委会第三十次会议对禁毒法(草案二次审议稿)进行了审议。会后,法律委员会、法制工作委员会就进一步修改草案,与有关部门交换意见,进行研究。法律委员会于12月6日召开会议,根据常委会组成人员的审议意见和各方面的意见,对草案进行了审议。内务司法委员会和国务院法制办、公安部、司法部的负责同志列席了会议。12月19日,法律委员会召开会议,再次进行了审议。法律委员会认为,为了预防和惩治毒品违法犯罪行为,保护公民身心健康,维护社会秩序,制定禁毒法是必要的。草案经过常委会两次审议修改,已经比较成熟;同时,提出以下主要修改意见:

草案二次审议稿第三十八条第四款规定:"怀孕或者正在哺乳自己不满一周岁婴儿的妇女以及不满十四周岁的未成年人吸毒成瘾的,不适用强制隔离戒毒。"有的常委委员提出,按照草案规定,强制隔离戒毒是教育和挽救吸毒人员、帮助其戒除毒瘾的一项重要措施，对吸毒成瘾的未成年人是否一律不适用，不能一概而论。从实际情况看，对有些因父母及其他监护人确实无力帮助其戒毒，而采取社区戒毒措施又无效的吸毒成瘾的未成年人，对其进行强制隔离戒毒，使其在与毒品隔绝的环境中接受有针对性的戒毒治疗，这对帮助其戒除毒瘾更为有效，家庭和社会也都支持。有的常委委员提出，参照治安管理处罚法关于对不满十六周岁的未成年人不适用行政拘留处罚的规定，对不适用强制隔离戒毒的未成年人的年龄界定由"不满十四周岁"改为"不满十六周岁"较为妥当。有的常委委员提出，对不适用强制隔离戒毒的吸毒成瘾人员如何给予帮助、教育、挽救，应予明确。法律委员会经同内务司法委员会和国务院法制办、公安部、司法部研究，建议将第三十八条第四款作为一条，修改为："怀孕或者正在哺乳自己不满一周岁婴儿的妇女吸毒成瘾的，不适用强制隔离戒毒。不满十六周岁的未成年人吸毒成瘾的，可以不适用强制隔离戒毒。""对依照前款规定不适用强制隔离戒毒的吸毒成瘾人员，依照本法规定进行社区戒毒，由负责社区戒毒工作的城市街道办事处、乡镇人民政府加强帮助、教育和监督，督促落实社区戒毒措施。"（草案三次审议稿第三十九条）

此外，还对草案二次审议稿作了一些文字修改。

草案三次审议稿已按上述意见作了修改，法律委员会建议本次常委会会议审议通过。

草案三次审议稿和以上报告是否妥当，请审议。

全国人大法律委员会

2007 年 12 月 23 日

全国人大法律委员会
关于《中华人民共和国禁毒法
（草案三次审议稿）》修改意见的报告

——2007 年 12 月 28 日在第十届全国人民代表大会
常务委员会第三十一次会议上

全国人大法律委员会主任委员　杨景宇

全国人民代表大会常务委员会：

本次常委会会议于 12 月 23 日下午对禁毒法（草案三次审议稿）进行了分组审议。普遍认为，草案经过常委会两次审议修改，已经比较成熟，建议进一步修改后，提请本次会议通过；同时，有些常委会组成人员又提出了一些修改意见。法律委员会于 12 月 25 日上午召开会议，逐条研究了常委会组成人员的审议意见，对草案进行了审议。内务司法委员会和国务院法制办、公安部的负责同志列席了会议。法律委员会认为草案是可行的，同时提出以下主要修改意见：

草案三次审议稿第二条规定，本法所称毒品，是指鸦片、海洛因等国家规定管制的能够使人形成瘾癖的麻醉药品和精神药品;但是,依照国家规定用于医疗、科研等用途的除外。有些常委会组成人员建议删去上述规定中的但书。法律委员会经同内务司法委员会和国务院法制办、公安部研究认为,删去上述规定中的但书,毒品的定义与刑法的规定是一致的;同时,考虑到医疗、教学、科研对麻醉药品和精神药品的需要,法律委员会建议参照全国人大常委会1990年作出的关于禁毒的决定中的有关规定,将草案三次审议稿第二条中的但书单作一款,修改为:“根据医疗、教学、科研的需要,可以依法生产、经营、使用、储存、运输麻醉药品和精神药品。”(草案建议表决稿第二条第二款)

此外,根据有些常委委员的意见,还对草案三次审议稿作了一些文字修改。

草案建议表决稿已按上述意见作了修改,法律委员会建议本次常委会会议通过。

草案建议表决稿和以上报告是否妥当,请审议。